RÉCIT D'UNE MORT ANNONCÉE

Traduit de l'anglais par Cécile Chartres

Cet ouvrage a été réalisé par les Éditions Milan,
avec la collaboration d'Hélène Duffau et Astrid Dumontet.
Mise en page : Pascale Darrigrand
Création graphique : Bruno Douin

Titre original : *The Knife that killed me*
Copyright © Anthony McGowan, 2008
First published in Great-Britain by Definitions, an imprint
of Random House Children's Book, a Random House Group Company.
The right of Anthony McGowan to be identified as the author of this
work has been asserted in accordance with the Copyright, Designs and
Patents Act 1988.

Pour l'édition française :
©2009, Éditions Milan, pour le texte et l'illustration
300, rue Léon-Joulin, 31101 Toulouse Cedex 9, France
Loi 49-956 du 16 juillet 1949
sur les publications destinées à la jeunesse
ISBN : 978-2-7459-3598-4
www.editionsmilan.com

ANTHONY McGOWAN

RÉCIT D'UNE MORT ANNONCÉE

MILAN

1

Le couteau qui m'a tué n'était pas un couteau ordinaire. Des runes magiques, vestiges d'un langage ancien, étaient gravées sur sa lame. Son métal étincelait de mille feux, irisé comme la queue du paon ou une tache d'essence sur une flaque d'eau. Il a été fabriqué à partir d'une météorite arrivée sur terre après un voyage de quelque centaines de millions de kilomètres. La chaleur, à l'impact, a brûlé et enlevé la croûte de roche friable, laissant un cœur de fer incrusté de traces d'iridium, de titane, de platine et d'or.

À l'origine, la lame a été forgée en Perse ancienne puis insérée sur une garde en ivoire et en corne de rhinocéros. Ensuite, le couteau est passé de main en main, objet de vénération et de crainte. Plus tard, il a été dérobé par Alexandre le Grand, qui l'a cueilli des mains du roi Darius sur son lit de mort. Il a suivi Alexandre en Inde, où il a servi à tailler les tendons des éléphants de guerre de Porus.

De rage, les bêtes ont violemment frappé la terre séchée de leurs défenses. À la mort d'Alexandre, le couteau a disparu pendant trois cents ans avant d'émerger à nouveau, récupéré par Jules César dans le trésor royal de Cléopâtre.

Pendant deux siècles, il a été porté par les empereurs romains, et c'est ce même couteau que Caligula a utilisé pour arracher l'enfant du ventre de sa sœur. La lame est une nouvelle fois partie vers l'Orient avec Valérien, qui espérait soumettre les Barbares. Cinq légions ont péri dans le désert, transpercées par des flèches parthes, et la dernière chose que l'empereur a vu c'est son propre couteau qui lui crevait les yeux. Combien de temps a-t-il ressenti l'intensité glaciale de son tranchant alors qu'on l'écorchait ? Ils ont fait de sa peau un sac de chair destiné à recueillir la merde des chevaux, macabre trophée pour le temple du vainqueur.

Quittant les Parthes, le couteau est alors passé chez les Arabes, qui ont progressé dans leurs conquêtes grâce à la ferveur de leur foi. Et puis, lors d'une séance de négociations, l'œil brave mais plein de convoitise de Richard Cœur de Lion en a perçu l'éclat sur la ceinture de Saladin. Le noble sarrasin a abandonné le couteau en faveur de la paix. Il a ensuite accompagné Richard en Angleterre.

Objet de vénération secrète, de rites occultes, d'actes blasphématoires, il a évolué telle une maladie exquise mais maudite, qui voyage dans le sang pendant des générations. Jusqu'à ce que, finalement, après un périple qui a semblé durer l'éternité, il arrive jusqu'à moi et vienne se loger dans mon cœur.

Oui, un couteau extraordinaire. Un couteau cruel. Un couteau habile.

Si seulement c'était vrai.

J'ai eu le temps de penser à tout ça.

La vérité, maintenant.

Le couteau qui m'a tué n'était pas du tout un couteau extraordinaire. Il n'avait pas de runes gravées sur sa lame. Sa poignée n'était pas faite d'ivoire et de corne de rhinocéros, mais de plastique noir bon marché. C'était un couteau de cuisine acheté chez Woolworth, et sa lame tremblotait comme une dent sur le point de tomber.

Mais il a accompli sa mission.

2

Me voilà dans un endroit gris. Ça pourrait être pire, comme enfer. J'ai toujours pensé qu'en enfer je brûlerai mais, ici, j'ai froid.

Ils m'ont demandé de tout écrire. De raconter ce qui s'est passé. D'expliquer pourquoi j'ai agi ainsi. Ils ont dit que je devais écrire la vérité. Et ils ont aussi ajouté que je devais me servir de mots agréables. Résultat, la moitié de ce récit est un mensonge, car les vrais mots ne sont pas agréables du tout. Je pense que vous saurez démêler le vrai du faux.

Pas d'ordinateur ici. Seulement un morceau de papier, un stylo et un vieux gros dictionnaire, pour éviter les fautes d'orthographe.

Laissez-moi me rappeler. Vous savez comment c'est, les souvenirs. Ils se mélangent, les vieux avec les neufs, le présent avec le passé. Mais parfois, je me rappelle un moment précis et je le revis complètement. Les gens parlent et bougent et je suis de nouveau avec eux.

C'est ce qui se produit en ce moment.

Je suis dans un champ. Celui des gitans, à côté de l'école. Il y a des corps autour de moi. Des corps entremêlés. Des bras se lèvent et se baissent. Des corps tombent. Des pieds trépignent.

Au début, il y a eu des hurlements, des cris. Ces bruits ne semblaient pas provenir des bouches mais plutôt du fin fond des entrailles. Maintenant ne restent que les grognements sourds qui suivent les durs efforts, et les gémissements à peine audibles de ceux qui sont tombés. Et je suis parmi eux, sans être l'un d'entre eux – je ne suis pas un des combattants.

J'ai aperçu un visage familier. Les yeux écarquillés de terreur. Un visage plus grand surplombe celui que je connais. Des mains animales le retiennent, la peau des doigts est blanche à force de serrer. Le grand visage laisse apparaître ses dents. Elles se dirigent vers le plus petit visage, celui que je connais. Elles essaient de ratisser la chair mais n'y arrivent pas vraiment, frustrées de glisser sur la peau tirée, sur son crâne rasé.

Comment en sommes-nous arrivés là ? À mordre, à manger.

Sommes-nous véritablement devenus des bêtes ?

On me pousse au sol, mes genoux creusent des trous dans la terre mouillée. J'aimerais bouger. Partir d'ici ou vers autre chose. Pour agir. Mais je ne peux pas bouger, j'ai été brûlé et je suis comme l'un des corps recouverts de cendres de Pompéi, figé par la lave en fusion. Seuls mes yeux fonctionnent encore.

Et cela suffit pour le voir venir.

Le couteau qui va me tuer.

Il est dans la main d'un garçon.

Le garçon est flou, le couteau est net.

Le garçon vient de le sortir de la poche intérieure de son blazer.

Le monde tournoie de manière étrange. Je distingue les contours de son bras, ou plutôt une série de contours qui retracent le geste réalisé depuis la poche de la veste. Des traces qui forment une silhouette spectrale. Je ne vois pas le mouvement dans son ensemble, seulement des images, immobiles, de plus en plus proches de moi.

Le garçon vient pour me tuer.

Je dois m'enfuir.

Je ne peux pas courir.

J'ai trop peur pour courir.

Mais je ne veux pas mourir là, dans le champ des gitans, tandis que mon sang se déverse sur la terre mouillée.

Je dois arrêter ça.

Le garçon vient vers moi à présent. Enfin, une partie de lui-même seulement.

Cours de mathématiques. Monsieur McHale. Un après-midi ensoleillé où personne n'écoute. Il nous parle du paradoxe de Zénon. Celui avec la tortue et Apollon qui court. Si seulement je pouvais m'en souvenir. Mais je ne suis pas très attentif en classe. Mes connaissances portent surtout sur les batailles, les armées. C'est mon père, qui aime la guerre par-dessus tout, qui m'a tout appris.

Ce serait bien que je me rappelle du paradoxe. Le couteau se rapproche. À chaque instant, il reste parfaitement immobile, et pourtant, il avance vers moi.

Comment est-ce possible ?

Ça y est ! Je me souviens. D'après le paradoxe, pour m'atteindre, le couteau doit faire la moitié du chemin. Cela prend, disons, deux secondes. Mais avant, il doit parcourir la moitié de cette distance. Ce qui prend une seconde. Et la moitié de cette distance-là, ce qui prend une demi-seconde. Et la moitié de cette distance, ce qui prend, cette fois, un quart de seconde. Et ainsi de suite. Chaque fois que la distance est réduite de moitié, le temps est lui aussi réduit de moitié. $2 + 1 + 1/2 + 1/4 + 1/8 + 1/16$. La suite est infinie. Donc, il ne pourra jamais m'atteindre. Je suis en sécurité.

Le « moi » qui est sur le champ des gitans, le « moi » de maintenant peut attendre le couteau éternellement.

J'en profite pour revenir au début de l'histoire.

3

J'étais assis devant Roth et deux de ses potes. Enfin, « potes » n'est pas le terme exact : Roth n'avait pas de potes. Il avait des sbires qui exécutaient ses ordres. Ils ricanaient et chuchotaient. Je savais qu'il allait se passer quelque chose de terrible sans me rendre compte que ça allait me tomber dessus.

Nous étions en cours de géographie et monsieur Boyle parlait. Il avait une barbe et des lunettes en plastique bringuebalantes. Très souvent, il essayait de les remettre droites, mais elles ne faisaient que pencher d'un côté ou pencher de l'autre. Ses lunettes bringuebalantes lui donnaient l'air d'être fou. Mais il n'était pas fou, il était simplement ennuyeux. Il portait une veste marron qui semblait avoir été cousue avec des restes d'autres vestes, et ses pantalons étaient trop courts, ce qui nous permettait de voir que la chaussette gauche était rouge et la chaussette droite bleue.

Monsieur Boyle était prof dans cette école depuis bien longtemps et ne dérangeait personne.

Je regardais par la fenêtre. De ce côté-ci de l'école, les maisons s'étalaient à l'infini. On ne pouvait pas voir la mienne mais elle était quelque part, là-bas, dans cette mer de briques rouges. Je m'imaginais flottant au-dessus des toits, observant le monde d'en haut. Je ne pouvais pas l'atteindre et lui non plus. C'était parfait.

Quelque chose est venu me frapper à l'arrière de la tête. Ça ne m'a pas fait mal. Je me suis dit qu'au moins on ne me jetait pas des cailloux. C'était comme une petite tape. Il s'agissait probablement de boulettes de papier roulées avec de la salive.

Un élan de colère et de honte m'a déchiré l'estomac. Quand ces mecs-là décident de s'en prendre à quelqu'un, ils vont jusqu'au bout. Mes cheveux étaient assez longs. Je n'aime pas me les faire couper. Quand tu te fais couper les cheveux, le coiffeur ne regarde que toi, et je déteste ça.

Je n'aime pas non plus qu'on me lance des trucs dans les cheveux. Mais je n'avais d'autre choix que de les ignorer. Si tu fais partie d'une bande, tu n'es pas obligé de laisser les gens te balancer des boulettes de papier mouillées dans les cheveux. Mais quand tu es seul, si. Il faut endurer ce calvaire, et d'autres bien pires encore. Cela dit, appartenir à une bande ne te protège pas vraiment si Roth est dans le coup.

D'autres boulettes de papier sont venues se loger dans mes cheveux. Ils se sont mis à ricaner tous les trois. J'ai senti que je rougissais. Le pire, quand on devient la cible de moqueries, c'est la honte que l'on ressent. J'ai senti la tension monter en moi, un mélange d'humiliation, de colère et de peur. D'autres élèves dans la classe se sont rendu compte de ce qui se passait. Certains se sont tournés vers moi puis ont regardé ailleurs, mal à l'aise, pleins de pitié. D'autres se sont joints aux ricanements, ravis de ne pas être à ma place.

Monsieur Boyle parlait toujours en tripotant ses lunettes tordues. Il disait : « Et les grands lacs de l'Amérique du Nord, c'est-à-dire : le lac Huron, le lac Michigan, le lac Ontario, le lac Érié et le lac Supérieur, contiennent plus d'eau douce que tous les… euh… autres lacs, tous les autres, du monde. » Son regard était perdu au loin, comme s'il observait vraiment les grands lacs. En tout cas, il ne voyait pas ce qui se passait juste sous ses yeux.

J'ai posé ma main à l'arrière de ma tête. J'ai compris instantanément que quelque chose n'allait pas, que c'était pire que ce que je pensais. Il y avait des morceaux. Collés dans mes cheveux. Des morceaux collants. Des boulettes de papier et de salive ne seraient pas restées coincées dans mes cheveux de cette façon. La mélasse est passée sur mes doigts mais je n'arrivais pas à l'enlever de mes cheveux. J'ai reniflé mes doigts et une odeur nauséabonde, moitié salive amère moitié menthe, m'a sauté aux narines. Du chewing-gum. On m'avait jeté des petits morceaux de chewing-gum dans les cheveux.

Je me suis retourné.

Roth était au milieu, entouré de deux garçons, Miller et Bates. Son visage était inexpressif. On ne pouvait qu'avoir peur de Roth. Il ressemblait à un homme préhistorique, semblable à ceux qu'on voit dans les dessins animés. C'était assez comique. On s'attendait presque à le voir porter des peaux d'animaux et à tenir un gros gourdin à la main, traînant un mammouth derrière lui. Il avait une mâchoire protubérante. Sa tête penchait en arrière et ses bras semblaient atteindre le sol.

Il avait l'air débile mais il ne l'était pas. Il connaissait nos faiblesses et s'en servait pour frapper là où ça faisait mal.

En l'occurrence, il avait visé mes cheveux.

On ne pouvait lire que deux expressions sur son visage. Il y avait l'hilarité féroce qu'il laissait transparaître quand il frappait quelqu'un. Et il y avait le vide, l'absence d'émotion, sans même un battement de cil, le reste du temps.

En général, il avait cette expression juste avant de frapper.

Son visage était vide à présent et ses yeux noirs étaient rivés sur les miens. J'avais l'impression de me faire poignarder.

Mais ce n'était pas Roth qui avait jeté les bouts de chewing-gum puant dans mes cheveux.

Ce n'était pas non plus Miller. J'avais un peu pitié de Miller. Il n'y avait pas beaucoup de gamins noirs dans notre école, parce que les Noirs sont en général protestants et que notre école était catholique. Pour s'intégrer, il avait choisi de lécher les bottes de la plus grosse brute de la classe. J'aurais certainement fait pareil si j'avais été dans sa situation. À mon avis, il n'était pas fondamentalement mauvais. Mais s'il obtenait l'accord de Roth, il était capable du pire. Miller souriait d'un sourire édenté, et il hochait la tête de haut en bas. Quand je me suis retourné vers lui, il a regardé par la fenêtre pendant une seconde, puis il a regardé Roth, et puis de nouveau la fenêtre, souriant toujours.

C'était Bates qui ricanait. Bates était vraiment un abruti. Sa frange lui barrait le front et lui donnait un air de malade mental. Quand il souriait, de fines lignes de bave affleuraient à la commissure de ses lèvres. Ses ongles étaient rongés jusqu'à l'os, pleins de sang. Il m'était difficile de les regarder. J'avais l'impression de le voir en train de les rogner et de les mordre. Il tenait encore un morceau de chewing-gum enroulé dans ses doigts.

La colère me consumait et bouillonnait en moi comme la lave d'un volcan. J'avais la mâchoire serrée et les lèvres pincées. Bates a cessé de ricaner et a essayé de me lancer le même regard dur que Roth. Mais il n'a pas pu empêcher ses lèvres de se retrousser dans une sorte de grimace baveuse. J'avais envie de le frapper. J'avais vraiment envie de le frapper. Je le détestais suffisamment pour ne pas me soucier des conséquences. À cet instant-là, me faire fracasser le crâne m'importait moins que d'avoir du chewing-gum dans les cheveux.

Parce qu'il y avait autre chose de plus fort que la colère. La honte. J'avais honte – pire, je me sentais humilié – d'avoir été pris pour cible. Toute la classe savait que Roth et ses sbires avaient décidé d'emmerder le faible de service. Mes muscles se transformaient en confiture. J'étais incapable de frapper.

– Ça suffit !

C'était tout. C'était tout ce que j'avais dit.

Bates a pris un air faussement sérieux, comme si je lui avais fait une proposition raisonnable à laquelle il allait réfléchir.

– Paul Varderman, est-ce que tu peux te retourner, s'il te plaît ?

Monsieur Boyle avait enfin remarqué quelque chose. Il voyait bien que je ne regardais pas en direction du tableau.

Je me suis retourné, pensant que mon calvaire allait prendre fin. Pensée stupide. Moins d'une minute plus tard, un autre morceau de chewing-gum puant a atterri dans mes cheveux.

Je n'en pouvais plus. Un sentiment de rage mêlée de honte a irradié mon visage. Je me suis levé d'un bond et ma chaise est allée s'écraser par terre avec fracas. Maintenant, tout le monde nous observait, j'en étais certain. Monsieur Boyle avait la bouche entrouverte, figée quelque part au milieu des grands lacs.

J'ai pivoté pour faire de nouveau face à Bates.

– Sale chien ! ai-je craché.

J'avais envie de le cogner mais je n'en avais pas la force. Je me sentais tellement humilié.

– Varderman, ass...

La classe riait à présent, amusée. Enfin, un peu de drame, de spectacle ! Bien mieux que les grands lacs et toute cette eau soporifique. Bates gloussait comme un singe. Miller riait. Même Roth semblait sourire.

– ...sieds-toi, j'ai dit assieds...

Je ne supportais pas tous ces regards posés sur moi. Ni ces ricanements qui résonnaient dans ma tête.

– ... toi !

Monsieur Boyle avait perdu tout contrôle. La classe riait sauvagement et d'autres élèves s'étaient levés. Des chaises s'écrasaient au sol. Monsieur Boyle regardait frénétiquement autour de lui, ne sachant pas quoi faire. Soudain, ses yeux sont tombés sur moi, le responsable. Il s'est avancé en se dandinant, se frayant un chemin parmi les élèves et les bureaux.

– Très bien, comme tu voudras ! a-t-il hurlé. Va directement chez...

C'est alors que je me suis mis à voler, observant la scène d'en haut. Il m'a fallu un moment pour comprendre ce qui se passait. Monsieur Boyle me criait dessus. Il me portait. Il était plus fort qu'il ne paraissait. Je ne sais pas ce qu'il disait – pour moi, ce n'était que du bruit. Ensuite, il m'a traîné. Au milieu de tout ce vacarme qui n'avait pas de sens, j'ai entendu les mots que je craignais tant : « Le bureau de monsieur Mordred. » Monsieur Boyle m'a jeté dans le couloir. J'ai fait quelques pas en titubant. J'ai regardé derrière moi et j'ai vu que le visage de monsieur Boyle était rouge. Il ne portait pas de lunettes. Elles avaient dû tomber. Il paraissait nu sans elles.

– Va chez monsieur Mordred ! a-t-il hurlé. Et explique-lui pourquoi je t'ai envoyé chez lui.

S'est-il rapproché ? Je peux voir son visage à présent. Ce n'est pas un visage sympathique. La peau blanche est collée à même les os, sans que l'épaisseur de la chair ne vienne en adoucir les contours. On dirait que ce visage a été passé dans un four très chaud. C'est un visage serré, dur, inhumain. La seule marque de vie est matérialisée par une entaille, la blessure rouge et rose que lui a fait un autre garçon en le mordant. Qu'est-ce que je ferais, moi, si mon visage avait été mâché comme ça, déchiré par les dents de mes ennemis ? Mais je dois rester attentif, je dois prouver que Zénon a raison, qu'Apollon ne pourra jamais rattraper la tortue.

Reste-là où tu es, garçon au couteau. Reste-là !

4

Je ne me suis pas rendu directement au bureau de monsieur Mordred. D'abord, je suis passé aux toilettes. Je ne pouvais pas voir les boulettes de chewing-gum, mais je pouvais les sentir sous mes doigts. Il fallait que je les décolle.

Sale chien. J'avais dit « sale chien ». C'était vraiment stupide. J'aurais dû trouver mieux.

Mes cheveux étaient tellement emmêlés que tirer semblait aggraver la situation.

Pourquoi avais-je dit « sale chien » ?

J'ai trouvé une salle de classe vide parmi celles de la section artistique et j'ai pris des ciseaux sur un bureau.

Quelque chose de mieux. J'aurais dû dire quelque chose de drôle, quelque chose qui lui aurait donné l'impression d'être tout petit.

Ensuite, je suis retourné aux toilettes et j'ai coupé mes cheveux pour me débarrasser de ce chewing-gum dégoûtant. Il m'a fallu dix minutes. À la fin, le lavabo était couvert de mèches de cheveux.

Ou le frapper. En plein visage. Lui faire avaler ses dents.

Je me suis passé les mains sous l'eau chaude, brûlante même. Je les ai frottées avec le savon sale pour enlever l'odeur pestilentielle de bave et de menthe de mes doigts. Je n'avais pas le temps de rapporter les ciseaux dans la salle de classe alors je les ai glissés dans ma poche.

Mais là c'était moi qui avais eu l'air stupide. Mon Dieu, mon Dieu, mon Dieu !

J'ai pensé rentrer chez moi. Mais si je rentrais à la maison après avoir été envoyé dans le bureau de Mordred, j'aurais des ennuis. Je serais exclu. L'idée est comique. Tu fais l'école buissonnière et on te punit en t'excluant de l'école. Mais ce ne n'était pas cette punition-là que je redoutais. Je craignais surtout celle que mon père me ferait subir.

Quoique ça pouvait encore s'arranger. Mon comportement n'avait rien de condamnable. Je ne pouvais pas raconter à Mordred ou à Boyle l'histoire de Bates et du chewing-gum parce que ce serait de la dénonciation. Si on y réfléchissait bien, je m'étais simplement levé en cours et j'avais crié : « Sale chien ! » J'aurais aimé ne pas avoir dit « sale chien ». J'aurais aimé trouver autre chose ou me taire.

Je suis allé dans le bureau de Mordred, courant le long des couloirs déserts. Je pouvais voir l'intérieur des salles de classe à travers les petites fenêtres carrées en haut des portes. Des fils en acier parcouraient le verre le rendant incassable. Certaines classes étaient pleines de gamins intelligents – ceux qui faisaient leurs devoirs. J'aimais l'allure bien ordonnée des rangées de bureaux. J'aimais la façon dont les élèves écoutaient, la manière dont les professeurs enseignaient sans passer tout leur temps à les empêcher de se battre.

Quand j'ai commencé l'école, on m'a mis dans une classe avec des gamins débiles. Par conséquent, j'en étais un. En tout cas, personne ne m'a jamais dit le contraire. Je pense que les choses auraient été différentes si on m'avait placé dans une bonne classe. J'avais envie d'apprendre, et pas seulement des choses en rapport avec la guerre. Mais une fois qu'on vous a collé une étiquette, impossible de s'en débarrasser.

Enfin, je suis arrivé dans la partie de l'école où se trouvaient les salles des professeurs et les bureaux. Pour y parvenir, il faut tourner à droite au bout du couloir. La salle des profs est sur la gauche et le secrétariat lui fait face. Au fond, il y a des portes doubles. Derrière ces portes, il y a le bureau de monsieur Mordred et, au-delà, celui du proviseur.

Je ne connaissais personne qui avait été convoqué dans le bureau du proviseur, monsieur O'Tool. On ne le voyait pas souvent. Parfois, il errait dans les couloirs de l'école, broyant du noir. Il prononçait généralement quelques mots lors de l'assemblée hebdomadaire, mais, même quand il énumérait les résultats sportifs et que nous avions gagné au baseball ou au foot, il donnait l'impression de lire la liste des morts de la bataille de la

Somme. On racontait que monsieur Mordred essayait de lui voler son poste et monsieur O'Tool semblait penser qu'il n'y pouvait pas grand-chose.

Il y avait deux chaises très confortables devant le bureau de monsieur O'Tool et une rangée de chaises en bois devant celui de monsieur Mordred. Deux garçons et une fille étaient assis là. La fille semblait avoir pleuré. Ses cheveux étaient parsemés de feuilles et de brindilles. Je ne connaissais pas son nom, mais je l'avais déjà vue. Je me suis dit qu'elle avait été surprise dans les buissons… Mais certainement pas avec un des deux autres. Eux, c'étaient des sales types de huitième année, ils avaient les cheveux dressés sur la tête, l'air insolents et pourtant effrayés. Ils avaient probablement fait une plaisanterie qui avait mal tourné et, désormais, ils fixaient le vide devant eux, comme font ceux qui attendent d'être punis.

Maintenant que je m'étais débarrassé de toutes ces cochonneries dans mes cheveux, je me sentais plus calme. La rage, le dégoût et l'humiliation que j'avais ressentis s'étaient apaisés, comme un mal de dents qui s'atténue avec le temps. Pendant que j'attendais, d'autres sentiments les ont remplacés. Ma présence ici me paraissait injuste, d'autant plus que Roth et ses sbires s'en tiraient. Et j'avais peur de Mordred. Si je me faisais exclure pour de bon ? Papa me tuerait. À moins que les élèves de Temple Moore ne me tombent dessus avant lui.

Le lycée de Temple Moore était le seul endroit qui acceptait les exclus de notre école. Ceux de Temple

Moore nous détestaient et, entre nous, c'était la guerre depuis des années. Les élèves qui échouaient à Temple Moore se faisaient massacrer. Tous les jours.

La cloche a retenti, signalant la fin des cours. C'était la pause, ce qui voulait dire que Mordred allait arriver pour nous arracher la tête.

J'ai entendu un bruit sourd en provenance du couloir. Pendant un instant, j'ai pensé que c'était Mordred. Puis je me suis souvenu qu'il avait des pieds minuscules et qu'il avançait à petits pas qui faisaient un bruit de claquette. J'ai levé les yeux et j'ai vu monsieur Boyle. Ses lunettes étaient encore plus tordues que d'habitude. Était-il venu expliquer à Mordred à quel point j'avais été insupportable ? Il se dressait devant moi, le souffle court. Ensuite, il m'a pris par les épaules, m'a mis debout et m'a poussé devant lui dans le couloir.

– Et si on discutait, a-t-il dit. Dans ma salle.

De retour dans la classe, il m'a installé devant lui. Vu de près, son visage présentait une surface anormalement importante de peau, même à l'endroit où sa barbe aurait dû pousser. Il dégageait une odeur un peu rance. Ce n'était pas qu'il puait mais juste qu'il sentait le renfermé. Je me suis demandé s'il était marié et j'ai supposé que non. Il vivait certainement seul et n'avait personne pour lui dire qu'il avait l'air ridicule ou qu'il ne sentait pas très bon.

– Alors, c'est quoi cette histoire ? a-t-il demandé.

Son ton m'a surpris. Il semblait plus triste que fâché.

– C'est-à-dire, monsieur ?

– Tu sais très bien de quoi je parle, alors ne fais pas l'idiot. Écoute, Paul, tu n'es pas de ceux qui déclenchent les hostilités. Et tu n'es pas bête, ça, j'en suis sûr.

Il y avait donc une première fois à tout.

– Je ne suis pas intelligent, monsieur.

– Qu'est-ce qui te fait dire ça ? Pour autant que je sache, tu n'as jamais vraiment essayé.

Je ne savais pas quoi répondre, j'ai baissé la tête.

– Je t'ai remarqué, Paul, a continué monsieur Boyle. Tu restes assis, là. Je ne sais pas exactement ce que tu retiens en cours mais… Qu'est-il arrivé à tes cheveux ?

– Rien, monsieur. Je ne sais pas, monsieur.

– Est-ce que ça a un rapport avec l'incident de tout à l'heure ?

– Je ne sais pas, monsieur.

– Tu ne sais pas grand-chose, on dirait, Paul.

– Je vous ai dit que je n'étais pas intelligent.

J'ai regardé Boyle, pensant que peut-être il souriait. Mais non. Il semblait bien triste.

– Est-ce que tu sais jouer aux échecs, Paul ? m'a-t-il finalement demandé.

– Je ne sais pas, monsieur.

– Et si tu venais au club d'échecs pour voir si ça te plaît ?

Monsieur Boyle dirigeait le club d'échec. Il y avait plein de premiers de la classe dans ce club. Le genre de mecs binoclards qui apportaient un thermos de soupe pour le déjeuner.

J'ai levé les yeux vers son visage, ses lunettes penchées, sa barbe éparpillée.

– Oui, monsieur, pourquoi pas.

Il y a eu un autre silence.

– Alors je te verrai peut-être là-bas tout à l'heure ?

– Oui, monsieur. Mais je dois aller chercher quelque chose avant.

5

Je suis sorti du bâtiment et je me suis assis tout seul sur un des bancs en béton. Un vent froid balayait le champ des gitans, me giflant le visage de ses mains moites. On l'appelait le champ des gitans parce qu'autrefois des gitans y avaient campé. Mais on ne les avait pas vus depuis des siècles, c'est-à-dire depuis au moins deux ans. Peut-être que les gitans n'existaient plus ? Il restait seulement le vent froid qui soufflait en rasant l'herbe et ramenait avec lui la puanteur de l'eau marron croupissant au fond du ruisseau.

J'aurais pu aller chercher ma parka au vestiaire mais j'avais peur de croiser Boyle. Pour me réchauffer, j'ai remonté le col de mon blazer et j'ai essayé de m'asseoir sur les pans. Mais ils n'étaient pas assez grands. Je suis resté sur le banc à me geler les fesses jusqu'à ce qu'elles en deviennent solides. Marcher m'aurait permis de me réchauffer mais je n'avais nulle part où aller. Les garçons avec qui je traînais d'habitude jouaient au foot ; je n'avais pas envie de les rejoindre. Et, de toute manière, ils ne m'avaient pas proposé.

J'ai pensé un instant aller au club d'échec. Au moins, j'aurais chaud. Peut-être aussi que cela me ferait du bien de parler à quelqu'un. Mais tous les membres du club étaient des intellos binoclards et ils avaient des discussions d'intellos binoclards : « Oh-et-est-ce-que-tu-as-vu-ce-super-ouais-ouais-documentaire-ouais-sur-les-volcans-ouais-j'ai-la-dernière-version-ouais-t'as-quel-genre-de-disque-dur-ouais-si-seulement-ouais-c'est-quoi-comme-soupe ? » En plus, je ne savais pas vraiment jouer aux échecs. Je connaissais le déplacement des pièces, mais je n'avais jamais fait de partie. Je ne voyais pas comment utiliser ces connaissances pour ne pas me trouver mis en échec au bout de deux tours.

Alors, j'ai essayé d'écouter ceux qui jouaient au foot, pour voir si j'arrivais à isoler certaines voix parmi le brouhaha. « Passe ! Passe ! » criaient les joueurs. J'entendais aussi les hurlements aigus des élèves de septième année qui paraissaient petits, même à mes yeux. Je ne sais même pas à quoi ils jouaient. À chat perché, a priori. Stupide. Les filles étaient toutes rassemblées en petits groupes. Elles ne faisaient pas de bruit. Je pouvais voir néanmoins que certaines d'entre elles avaient l'air heureuses, d'autres plutôt tristes ou furieuses, comme si elles venaient de découvrir que quelqu'un les avait traitées de putes dans leur dos.

Le seul groupe où il y avait à la fois des filles et des garçons était celui des Zarbis. Ils étaient six, de l'autre côté de la cour. Certains étaient debout, d'autres assis sur un banc. Malgré l'uniforme de l'école, ils paraissaient différents des autres élèves. On aurait dit qu'ils se tenaient dans la pénombre alors que nous, nous étions dans la lumière crue du soleil.

Toutes les mauvaises pensées qui flottaient dans la cour leur étaient adressées. En général, il ne s'agissait de rien d'autre que du sentiment partagé par tous que ce serait mieux s'ils n'étaient pas là. Mais, parfois, ça allait plus loin, comme à l'instant même. Un des joueurs de football venait d'envoyer délibérément la balle vers le groupe et avait atteint une fille au visage.

Pourquoi est-ce que tout le monde déteste les Zarbis ? Non, pas tout le monde. Les Zarbis ne se détestent pas entre eux. Ils détestent seulement le Zarbi qu'ils sont devenus.

Je sais que je ne devrais pas les appeler les Zarbis, même si c'est comme ça que tout le monde les désigne. Il y a d'autres noms possible. On pourrait les appeler les autistes. On pourrait aussi les appeler les indés, les grunges, ou les hippies. Mais indés, grunges et hippies sont des mots trop à la mode, qui donneraient l'impression qu'ils sont cool, tendance. Ce qu'ils ne sont pas du tout. Autiste serait sûrement plus approprié que hippie ou indé, mais Zarbi semble leur convenir mieux que tout le reste.

Ils trouvaient certainement pas si mal d'être détestés par tout le monde. Peut-être même que ça les arrangeait. Le problème, c'est qu'ils n'étaient pas seulement haïs. Dans notre école, la haine n'est que le début des ennuis.

La conséquence, c'est, par exemple, un ballon de foot reçu en plein visage.

Les ados qui ne sont pas des Zarbis – ceux qui les haïssent – sont de tous les genres. Il y a des punks, des prolos, des normaux, des fans de *death metal*, des sniffeurs de colle, des pros en informatique, et ceux qu'on ne sait pas où classer. Parmi les gens qui peuvent avoir envie de torturer un Zarbi, les pires sont très certainement les prolos. Ils ont l'impression que la façon dont les Zarbis les regardent, en silence, les yeux rivés sur leurs chaussures, est une insulte.

Non, en fait, c'est faux. Les prolos ne sont pas les pires. Les pires, ce sont les brutes, ces mecs qui ne vivent que pour faire du mal et voler le fric des autres. Pour eux, les Zarbis sont comme du bétail : ils les utilisent puis les massacrent.

Je connaissais le nom de la fille qui avait reçu la balle. Maddy Bray. C'était la seule du groupe à être dans un de mes cours. Elle se tenait en marge d'une bande de marginaux. Après que la balle l'avait frappée, elle ne s'était pas pour autant rapprochée de ses amis. Elle s'en était même éloignée, comme si elle avait pensé que, d'une certaine manière, c'était de sa faute, et qu'elle ne voulait pas leur faire honte. Exactement ce que j'aurais fait : m'isoler et disparaître.

Je les ai observés et j'ai vu un des garçons se lever pour aller la voir. Je connaissais son prénom à lui aussi. Il s'appelait Shane. Il était en quelque sorte le chef des Zarbis. Quoique le terme de chef n'est pas tout à fait correct car il ne décidait pas à leur place. Il était surtout celui qui avait le comportement le plus bizarre ; il représentait ce vers quoi les autres tendaient. On les détestait, eux et tout ce qu'ils symbolisaient, mais il fallait reconnaître que Shane avait quelque chose de particulier, quelque chose de cool.

Finalement, je pouvais appeler la bande de Shane les Zarbis parce que c'est ce qu'ils étaient.

Shane a souri et il a dû certainement dire quelque chose de drôle aussi parce que Maddy Bray a souri à son tour, presque ri. Puis elle s'est timidement rapprochée des autres.

Mais elle est restée à l'extérieur du cercle. Elle s'est contentée de les observer, comme moi.

＊

Le ruisseau est derrière moi. J'entends l'eau qui coule. Sauf que c'est surprenant parce que l'eau dans ce ruisseau ne coule pas. Elle boîte et trébuche, recouvrant de sa puanteur la pourriture qui suinte au fond. Mais elle remue. Je l'entends remuer. Ce n'est pas bon signe. Ici, rien ne doit bouger. J'ordonne aux eaux de s'arrêter.

Et elles s'arrêtent.

6

J'observais les Zarbis, je regardais dans leur direction, de l'autre côté de la cour. J'étais si concentré sur eux que je n'ai pas vu les autres arriver.

– Regardez, c'est Sans-Amis.

J'ai cligné des yeux et j'ai reporté mon attention sur ceux qui se tenaient maintenant devant moi. Ils étaient cinq : Roth, bien sûr, Bates, Miller, et deux autres.

Ce n'était pas Roth qui avait parlé mais Miller, ponctuant sa phrase de son rire de hyène.

– Super, ta coupe de cheveux, a lancé Roth.

C'était la première fois qu'il s'adressait directement à moi. Sans l'épisode de ce matin – le chewing-gum, les cris, la chaise —, il n'aurait même pas su que j'existais.

– Ouais, a dit Bates. Super, ta coupe. Ça ne ressemble pas à grand-chose. Tu veux que je rajoute un peu de gel ?

Il s'est raclé la gorge, me laissant entrevoir un glaviot vert. Il en faisait toute une affaire, ricanait, grognait comme un buffle, rassemblant sa salive dans sa bouche en un énorme crachat.

Ce qui s'est passé alors est un peu étrange. J'avais la main dans ma poche et je devais très certainement être en train de jouer avec, frottant sans vraiment y penser mes doigts contre le métal. La partie frontale de mon cerveau ne devait pas comprendre ce que j'avais dans les mains. Mais, tout à coup, j'ai eu un déclic : les ciseaux. Ceux dont je m'étais servis pour enlever le chewing-gum de mes cheveux. Je les ai brandis devant moi. Je tenais la poignée et l'une des lames dans la main, l'autre était pointée vers Bates.

J'étais fou de rage. À cause du chewing-gum. Parce que je croyais qu'il allait me le cracher dessus, son gros glaviot immonde.

Ça aurait dû les faire marrer. C'était seulement des ciseaux. Des ciseaux d'écolier, inoffensifs.

Ça aurait dû les faire marrer, mais non. Les yeux de Bates se sont écarquillés et il s'est étranglé avec l'amas de salive bloqué dans sa gorge. La bave s'est mise à couler le long de son menton et sur son pull. Une grosse quantité a dégouliné par terre, en un filet, sans se déchirer. Je ne savais pas quoi faire. Je me sentais stupide, complètement stupide, là, debout, les ciseaux dans la main, à observer Bates s'étrangler avec sa glaire.

C'est Roth qui est venu à ma rescousse. Il m'a aidé en m'évitant d'avoir à prendre une décision. Il a fait un pas en avant, m'a attrapé par le poignet et m'a tout simplement pris les ciseaux des mains, avec autant de facilité que si j'avais été un bébé. Sa main était énorme, comme celle d'un géant.

L'idée qu'il allait très certainement me cogner m'a traversé l'esprit. Il y a peut-être pire épreuve sur terre que de recevoir un coup de poing de Roth, mais celle-là, je ne la connais pas.

Une fois, je l'ai vu se battre avec un type de onzième année alors qu'il était en neuvième année. L'autre gars avait deux ans de plus que lui et il était à peu près de la même taille, Roth n'étant pas normalement constitué. Il n'était pas n'importe qui non plus, c'était le mec le plus populaire de sa classe. Il s'appelait... Compson, ouais, Compson. La plupart des élèves le prenaient pour un gars bien. Il pouvait être violent sans pour autant faire partie des brutes.

J'ignore pourquoi il s'était battu avec Roth ce jour-là. Peut-être voulait-il le remettre à sa place ? Il aurait entendu dire que Roth le traitait de tous les noms. Sur le parking de la maison des jeunes, la foule avait formé un cercle autour d'eux. Chacun pouvait lire la peur dans les yeux de Compson qui avait compris que Roth était plus fort que lui. Moi, je pense qu'il faut du courage pour continuer à se battre tout en sachant qu'on va se faire piétiner.

Et ça n'a pas manqué.

Il existe plusieurs sortes de bagarres. Parfois, les lutteurs se croient sur un ring et ils se dansent autour. Les spectateurs hurlent pour les encourager et les incitent à cogner, mais ils ne le font jamais de peur de se faire mal. En général, ils ne sont là que pour danser, pas pour se battre. Parfois, il se peut aussi que les deux combattants se jettent l'un sur l'autre et s'agrippent, chacun essayant de donner un coup de poing ou un coup de pied bien placé. Et tant qu'ils restent verrouillés l'un à l'autre, ils ne risquent rien. Enlacés ainsi, ils n'ont pas suffisamment de recul pour frapper avec force.

Les pires bagarres – ou les meilleures, pour qui voir les autres souffrir est un plaisir – sont celles où les deux adversaires se détestent au point de se rouer de coups. Ils se fichent pas mal d'en recevoir du moment qu'ils parviennent à riposter. Il n'y a pas beaucoup de ces bagarres-là, et elles ne durent pas longtemps, parce que la rage que déploient ceux qui se battent finit par les épuiser.

La bagarre entre Roth et Compson a commencé ainsi. La foule était au rendez-vous, toujours là pour ce genre de spectacle. Je crois que le plus grand nombre espérait voir Roth se prendre une raclée. Tout le monde avait peur de lui.

Le combat a débuté comme toujours par un moment de silence intense. Roth fixait Compson du regard, et celui-ci essayait de ne pas baisser les yeux. On voyait bien qu'il ne concentrait pas son attention sur Roth mais sur un point situé au-delà. Ensuite, il y a dû y avoir un signal et ils se sont jetés l'un sur l'autre. Compson a frappé Roth deux fois, violemment, au niveau du front. Mais autant frapper un camion avec un journal. Roth n'a pas bronché. À peine s'est-il protégé avec ses mains.

Quand il a vu que ses deux coups de poing n'avaient eu aucun effet, Compson s'est dégonflé. Toute sa volonté s'est volatilisée, et il s'est enfui ou, plutôt, il a essayé de s'enfuir car il a été retenu par le mur de spectateurs. Tous riaient avec férocité. Dès qu'ils ont vu que Compson ne faisait pas le poids face à Roth, ils ont changé leur fusil d'épaule. Personne n'a envie d'encourager un perdant et de se couvrir de honte. Compson a couru en rond, ricochant sur les bords du cercle, regardant Roth par-dessus son épaule. Roth ne l'a pas pourchassé. Il a attendu un peu, un ou deux tours peut-être, puis il lui a tout simplement barré la route.

Il n'a fallu qu'un seul coup de poing à Roth pour faire tomber Compson à terre. Le bruit du choc a été horrible. Un son qui nous a retourné l'estomac – comme quelque chose de moelleux qui frappe quelque chose de dur. Presque un amorti. Un amorti ou un plat. Je me tenais en dehors du cercle et je ne pouvais pas bien voir, mais ce bruit m'a suffi. Je l'ai entendu, et j'ai pensé que Roth avait peut-être tué Compson, qu'il l'avait tué pour de bon.

Roth a alors fait quelque chose d'insoutenable. Quelque chose qui ne s'était jamais vu auparavant dans notre école.

Ce qu'il a fait nous a projetés dans une autre dimension. De la même manière que l'invention de la mitraillette a tout changé à la guerre.

Compson était à terre, immobile. Je le voyais à peine à travers les barreaux formés par les jambes en mouvement. Le coup de poing l'avait atteint dans les dents. Son visage s'était dégonflé comme un ballon percé. Je savais qu'il n'était pas mort à cause des petits bruits de succion qu'il faisait.

La foule était complètement silencieuse. Roth dévisageait lentement les personnes présentes, une à une. Soutenir son regard noir était impossible. Tour à tour, chacun baissait les yeux, les détournait, ou reculait, au cas où même ce regard aurait été dangereux.

Après avoir observé tout le monde avec lenteur et application, comme s'il s'agissait d'une tâche ennuyeuse mais nécessaire, Roth s'est baissé vers le garçon au sol. Il s'est mis à fouiller à l'intérieur de son pantalon – le sien, pas celui de Compson, qu'on aurait pu croire mort sans le son mouillé qui provenait de sa bouche démolie. Roth a sorti son truc – vous voyez de quoi je parle – et il l'a pris dans ses mains en grognant. Son visage s'est vidé ; Roth semblait si loin. Puis un filet de pisse jaune a jailli sur le visage de Compson.

Ça l'a fait réagir. Il a craché, roulé sur lui-même, s'est mis à quatre pattes et a jeté à Roth un regard de haine et de honte mêlées. Roth ne le lâchait pas des yeux. Son visage était dépourvu d'expression – semblable à celui que l'on peut avoir quand on assiste à un truc intéressant mais qui n'a pas grand-chose à voir avec nous. Puis il a souri, à moitié. Pas plus que les autres Compson ne pouvait défier ce regard. Il s'est mis en boule et a gémi, comme pour dire : « S'il te plaît, ne me frappe pas de nouveau. »

Un sentiment d'embarras s'est emparé de la foule, qui s'est dispersée. Je suis parti aussi et j'ai regardé une dernière fois derrière moi, pensant voir Compson allongé et seul. Parce qu'on est jamais aussi seul que quand on perd une bagarre. Il était bien là, mais pas seul. Bates et Miller étaient avec lui. Ils lui donnaient des coups de pied, le piétinaient, lui crachaient dessus. J'aurais voulu intervenir mais j'avais peur, alors je suis rentré chez moi. De toute manière, ça ne me regardait pas.

C'est de ça dont je me suis souvenu quand Roth a saisi mon arme ridicule, comme s'il prenait des bonbons à un gamin. J'ai pensé qu'il pourrait m'arriver la même chose qu'à Compson.

Mais rien de tout cela ne s'est produit. En revanche, Roth a posé sa grosse main sur ma joue. Je ne sais pas comment décrire son geste. C'était plus doux qu'une gifle, plus dur qu'une caresse. Ensuite, il m'a souri. Ses dents étaient vraiment bizarres. Celles de devant n'étaient pas différentes de celles de derrière. Elles étaient toutes identiques, de la même taille, et elles étaient toutes séparées par un espace. On aurait dit les dents de lait d'un animal préhistorique.

— Regarde ça, a-t-il dit, d'une voix presque chaleureuse, affectueuse. Regardez-moi ça.

Je ne comprenais pas ce qui se passait. Je ne savais pas quoi dire.

— Frappe-le, a dit Bates.

Il s'agitait et sautillait sur place comme s'il voulait aller aux toilettes.

Roth s'est tourné vers lui.

— Quoi ?

Bates se déplaçait rapidement. Pied gauche, pied droit. En haut et en bas. D'un côté à l'autre.

— Frappe-le ! Au visage. Au ventre. Qu'il se chie dessus !

Roth a attendu. Une respiration. Deux respirations. Son visage était blanc comme un linge.

Enfin il a parlé.

– Je pense qu'il est pas si mal.

– Quoi ? Mais tu l'as vu… T'as vu ce qu'il a fait ?

– Ferme-la !

– Mais…

Roth a alors étendu le bras. Il a attrapé Bates par le col et l'a tiré à lui. Le secouant comme s'il avait été un chat. Bates a émis un son aigu, une espèce de couinement.

– Mais quoi ?

– Rien, Roth, je disais juste que…

– Et ben, dis rien !

– Ouais, ouais, bien sûr.

– Qu'est-ce que t'en penses, Miller ?

– Je pense qu'il est pas si mal.

– Je crois qu'il fera l'affaire. Qu'est-ce que t'en penses, toi, hein ?

Roth me regardait de très près. Sans sourire. Son visage aussi lisse qu'un masque. J'avais tellement peur de lui que j'en étais muet.

Il n'était pas comme les autres dérangés du cerveau. Il était malin et rusé. Ce qui ne le rendait pas plus facile à comprendre. En général, les brutes sont imprévisibles. Un peu comme les chats. Tu ne sais jamais quelle direction ils vont prendre. Mais tu peux les comprendre et connaître leurs réactions. Les brutes sont comme des bêtes : elles ont les mêmes réflexes que les bêtes et se recroquevillent de la même façon quand elles sont face à un adversaire plus fort qu'elles.

Roth, lui, était totalement incompréhensible. Contrairement aux bêtes, tout ce qu'il faisait avait un sens. Mais, il n'existait pas de règle pour le comprendre. Peut-être y avait-il là une logique – en fait, je suis sûr qu'il y en avait une – mais ce n'était pas une logique humaine. Ça me fait penser à l'affrontement des Espagnols et des Aztèques. Les Aztèques avaient déclaré la guerre pour pouvoir faire des prisonniers. Ensuite, ils avaient découpé leurs cœurs et les avaient offerts aux Dieux pour les apaiser, afin qu'ils apportent la pluie et fassent pousser les récoltes. De leur point de vue, tout ça était rationnel. Mais, aux yeux des Espagnols, leurs actes étaient maléfiques.

Je ne me fais pas bien comprendre. Ce qu'il faut savoir sur Roth, ce qu'il y a de terrible chez Roth, c'est qu'il n'était pas seulement le plus fort, il était aussi le plus malin. Pas malin dans le sens d'être bon en maths ou en anglais, plutôt dans celui de connaître les pensées des autres.

Il a enroulé son gros bras autour de mon épaule et s'est éloigné des autres. Le poids qu'il faisait peser sur mon corps était difficile à supporter – j'étais complètement écrasé.

– T'en fais pas pour eux, a-t-il dit de sa voix étrangement musicale. Ils sont juste un peu idiots. Tu n'es pas idiot, toi, hein ?

C'était la deuxième fois aujourd'hui qu'on me disait ça. Drôle de coïncidence.

– Ça dépend ce que tu veux dire par idiot.

Roth souriait davantage maintenant, me montrant ses dents écartées, inhumaines.

– C'est là où je veux en venir. Ces comiques ne penseraient jamais comme ça. Tu vois, je dis idiot, et toi tu veux savoir ce que je veux dire par là. Ça, c'est parce que tu penses.

Il désigna sa tête.

– Tu te sers de ça.

J'avoue avoir honte de raconter la suite mais je ne veux rien omettre d'important. Sa voix était douce, intime, toute tournée vers moi. Quand il m'a parlé, j'ai senti une lueur à l'intérieur de moi, une sorte de béatitude, de chaleur, de paix.

Je détestais Roth. Je me devais de le détester plus que n'importe qui d'autre parce que c'était un type cruel et tyrannique. Le genre de mec qui tabassait quelqu'un et en faisait de la bouillie, pour ensuite lui pisser au visage. Le genre qui poussait ses copains débiles à me jeter du chewing-gum dans les cheveux parce qu'il s'ennuyait en cours.

Et pourtant, ces quelques mots m'ont rendu heureux.

Pendant un instant, j'ai éprouvé de l'amour pour lui.

– On discutera plus longtemps une autre fois, m'a dit Roth en s'éloignant.

Et les autres l'ont suivi, parce qu'ils n'avaient rien d'autre à faire de leur vie.

Je me suis retrouvé seul, figé, aussi incapable de penser que Bates ou Miller. J'ai laissé mon regard se perdre à l'horizon. De l'autre côté de la cour, j'ai vu les Zarbis. Ils étaient tournés vers moi. Mes yeux ont involontairement croisé ceux de Shane, et il m'a fait un signe de tête. C'était un geste minuscule, à peine visible, mais je l'ai vu. Je ne savais pas comment l'interpréter. Puis j'ai observé les autres membres du groupe, et attrapé le regard de Maddy Bray. Elle m'aurait peut-être souri si un autre garçon ne lui avait pas donné un coup de coude, la poussant sur le côté. Si c'était un geste amical, il sonnait faux, parce que la bande de Shane n'avait pas pour habitude de se taquiner physiquement.

C'est alors que la cloche a sonné la reprise des cours.

Personne n'admet avoir peur de la mort.

Dans les livres, dans les histoires, les gens défient la mort, et prétendent que mourir n'est rien. Eh ben moi, j'ai peur. De la mort de mon corps. De la mort de mon âme. De la mort qui vient à ma rencontre, sur le champ des gitans.

7

Mon père a étudié dans mon école. Il y a vingt ans. Quand il avait bu quelques verres, il me racontait comment ça se passait à son époque. Je vous ai sans doute donné l'impression que j'étais dans une école difficile, mais avant c'était pire. Avant, les professeurs battaient les élèves. Tout le temps.

Il y avait trois façons différentes de se faire frapper, disait mon père. La manière la plus simple consistait à recevoir une gifle sur la joue. Si le prof te faisait face, ce n'était pas si douloureux. Mais si le prof se trouvait derrière toi alors que tu faisais le pitre, tu ne voyais pas venir la gifle et tu ne pouvais pas t'y préparer.

La deuxième méthode consistait à être frappé avec la tranche d'une règle sur le dos de la main. Papa disait que chaque classe possédait une règle réservée à cet usage. Avec son bord en acier, elle était aussi lourde qu'une clé à mollette. Il fallait tendre la main et le professeur, s'il était cruel, te laissait en suspens pendant une minute, deux minutes, jusqu'à ce que ta main commence à trembler. Et peu importait ta détermination, c'était inévitable, ajoutait mon père. Souvent c'était ce que cherchaient les profs. Ils aimaient faire trembler leurs élèves. C'était déjà dur, mais pas autant que quand ils finissaient par frapper de vengeance. Ça faisait tellement mal que tout virait au noir pendant quelques secondes, et parfois un gamin se pissait dessus, mais mon père affirmait que ça n'avait jamais été son cas. Le coup laissait des traces sur le dessus des doigts : une rangée de bosses bleues tachées de sang. Papa disait que tu pouvais subir cette punition pour trois fois rien – pour avoir oublié d'apporter un livre, pour ne pas t'être mis en rang, pour avoir souri quand tu n'aurais pas dû. Pour ne pas avoir souri lorsqu'il aurait fallu.

Mais le summum était la canne – une longue tige de bambou qui ressemblait à un fouet. Et là encore il y avait des variantes. Les fesses ou la main. Papa disait que prendre un coup de canne sur la main était le plus douloureux mais, en fin de compte, ce n'était pas aussi terrible que d'avoir à se pencher sur une chaise, presque nu comme un ver, pour recevoir un coup sur le cul. Les gamins se vantaient toujours d'avoir pris un coup de canne sur la main ; quand c'était sur le cul, ils se taisaient et préféraient oublier.

Aujourd'hui, les profs n'ont plus le droit de frapper les élèves. Et pourtant, certains en auraient vraiment envie. Je vois bien leurs mâchoires se serrer quand ils s'efforcent de garder leur calme.

Mais ils ont d'autres moyens d'action. Ils peuvent humilier par exemple. Les profs savent que s'ils piétinent un élève et le couvrent de honte, les autres gamins finiront le travail. Je ne sais pour quelle raison les profs ne se préoccupent jamais des élèves difficiles, de ceux qui sèment la terreur. Ceux qu'ils détestent, ce sont les silencieux. Mais pas n'importe lesquels, uniquement ceux qui ne perçoivent pas l'intérêt de leurs cours, ceux qui se replient sur eux-mêmes.

Les gamins perdus. Les Zarbis. Oui, c'est ça : comme Shane et sa bande.

Je n'ai jamais vraiment compris pourquoi les profs les détestaient. Peut-être parce qu'ils n'aiment pas avoir l'impression qu'on leur cache quelque chose, et que les Zarbis se comportent en effet comme s'ils étaient les seuls au courant du Grand Secret, celui que l'on veut tous connaître.

Une prof en particulier adorait humilier. Elle s'en délectait et s'en nourrissait comme d'une gourmandise trop riche – des pâtisseries orientales ou de la pâte d'amandes. C'était madame Eel. Après la pause et ma discussion avec Roth, j'avais cours de français avec elle. Madame Eel enseignait le français à des élèves mauvais en français, et je crois que ça la gonflait.

Avec elle, on apprenait assez vite à faire attention.

Une grosse erreur consistait à l'appeler mademoiselle – au lieu de madame – Eel. À sa façon de réagir, on avait l'impression qu'on l'avait traitée de « sale connasse ». Trouver n'importe quel exercice trop facile ou trop dur était un bon moyen de s'attirer des ennuis.

Quand un élève faisait une telle erreur, elle commençait par lui parler très doucement, pour qu'il la comprenne bien. Puis, tout à coup, elle hurlait, et ses yeux devenaient fous, et des postillons jaillissaient de sa bouche.

D'autres fois, elle décidait d'humilier quelqu'un par ennui. Elle choisissait alors un élève au hasard, sans raison apparente, un solitaire pathétique, un garçon inoffensif, une fille timide pleine de complexes, un garçon obèse ou truffé d'acné. Ayant trouvé sa victime, elle passait l'heure entière à la harceler avec un tel savoir-faire qu'il était difficile de ne pas l'admirer. Le pire c'était sa façon de tous nous mener à entrer dans son jeu.

C'était plutôt une classe agréable : à part madame Eel, personne n'était à craindre. Je trouvais à ce cours quelque chose de particulier. La fille dont j'ai parlé plus tôt, celle qui avait reçu le ballon de football au visage, elle aussi était dans ce cours de français.

Maddy Bray attirait les ballons comme des aimants. Elle n'avait pas de chance. Mais là où le sort avait été vraiment cruel avec elle, c'était au niveau de son physique. Enfin, son physique associé à son nom. Bray n'est pas un très beau nom et prête déjà bien aux moqueries. Mais quand on s'appelle Bray et qu'on a un long visage chevalin, eh bien, il faut s'attendre à avoir des ennuis.

Vous connaissez peut-être le jeu qui consiste à classer toutes les personnes de son entourage dans les groupes « beignet » ou « cheval ». Un beignet désigne quelqu'un qui a un visage rond. Eh bien, Maddy, elle, avait tout du cheval !

Mais je noircis un peu le trait. Parce qu'il y a aussi deux sortes de chevaux. On peut être un très beau cheval. Beignet, en général, c'est entre les deux. On ne peut pas dire que Maddy était belle, mais quelque chose dans son visage donnait envie de l'observer, de la détailler. Cela n'avait rien de malsain, rien à voir avec le fait de se focaliser sur une terrible déformation, une horrible tache de naissance par exemple. Quand on regardait Maddy, on avait le sentiment de ne pas pouvoir appréhender la totalité de son visage. Désolé, c'est stupide. Je ne sais pas vraiment ce que je veux dire en fait, sauf qu'il m'était difficile de ne pas regarder son visage.

Comme je l'ai déjà dit, Maddy faisait partie de la bande de Shane. Mais être zarbi, ce n'était pas son truc, elle n'était pas vraiment douée. Elle n'avait jamais le bon style. Ses habits étaient serrés là où ils auraient dû être larges, et larges là où ils auraient dû être serrés. Et elle le savait – elle savait qu'elle n'était pas au point – mais elle ne voyait pas comment arranger les choses. Elle était si consciente de ses défauts qu'elle ne parlait presque à personne. Elle évoluait silencieusement, comme une ombre à travers l'école, ne regardant rien d'autre que ses grands pieds.

Maddy était intelligente, du moins, elle était bien au-dessus de la moyenne dans la plupart des disciplines. Je ne sais pas comment elle avait atterri dans la classe de madame Eel avec moi. J'imagine qu'on ne peut pas être bon partout. Mais, même si elle n'était pas très douée en français, elle était quand même meilleure que nous. Une raison suffisante pour que madame Eel la déteste.

Si on avait pu lire dans sa tête, on aurait peut-être découvert qu'elle détestait Maddy parce qu'elle lui ressemblait et que, souvent, on n'aime pas ceux qui nous renvoient notre image. Ou alors on aurait vu qu'elle la détestait pour la simple raison qu'elle était une personne haineuse. Dans ce cas, vouloir comprendre pourquoi madame Eel haïssait Maddy Bray était comme chercher à expliquer pourquoi un enfant aime le goût du sucre.

Toute l'année, je m'étais tortillé sur ma chaise, grimaçant aux tortures que madame Eel infligeait à Maddy. Elle lui faisait lire les passages les plus difficiles, effectuer des travaux que personne dans la classe n'aurait su faire. Maddy se démenait, et madame Eel ne se contentait pas de la corriger à chaque mot, elle riait aussi. Elle lui riait au nez.

Et elle utilisait d'autres pièges, plus rusés.

Il y avait un garçon dans la classe qui s'appelait Mark Hampson et qui puait la pisse. Je ne sais pas pourquoi. Il n'avait pas l'air sale et, en général, il était même assez chic. Peut-être qu'il faisait pipi au lit. Madame Eel nous demandait de nous asseoir par ordre alphabétique. Bon nombre de professeurs nous avaient placés de cette façon pour s'assurer qu'on ne s'installait pas à côté de nos amis. À peu près à la moitié du premier semestre, lorsqu'elle avait eu suffisamment de temps pour s'apercevoir que Hampson puait et qu'elle détestait Maddy Bray, madame Eel avait changé les règles et nous avait obligés à nous asseoir dans l'ordre alphabétique de nos prénoms. Cela voulait dire que Maddie et Mark se retrouvaient à côté. Avec ce genre de petits gestes, madame Eel sortait du lot. Elle ne faisait rien au hasard.

J'étais assis au fond de la salle, cherchant à rester le plus discret possible. Madame Eel avait écrit un exercice au tableau. Elle ne nous avait même pas parlé, elle avait juste fait un signe en direction du tableau. Je ne faisais pas attention au cours – comme toujours. Et ce jour-là, j'avais en plus d'autres choses à penser. Le chewing-gum dans mes cheveux. L'étrange discussion avec Roth.

Puis, du coin de l'œil, j'ai vu que madame Eel commençait à s'agiter, posant son menton d'abord sur sa main droite, puis sur la gauche. Je me suis dit que quelqu'un allait avoir des ennuis, et je me suis enfoncé un peu plus dans ma chaise. C'est alors que je l'ai vue poser son regard sur Maddy. Maddy qui avait fini l'exercice et commis l'erreur de ranger son stylo.

Un petit sourire s'est dessiné subrepticement sur la bouche de madame Eel, comme un scarabée rampant.

– Déjà fini, Maddy ? a-t-elle murmuré.

Mais elle avait fait résonner le prénom de Maddy, le prononçant de telle façon qu'il évoquait une chose collante dont on n'aurait voulu se débarrasser.

– Oui, made… madame Eel.

Elle avait eu de la chance. Un peu.

– On dirait que cette classe ne stimule pas assez vos capacités ?

– Non, mada… Je veux dire, si, madame Eel.

– Je vous ennuie ?

Les autres élèves étaient sur le qui-vive à présent, conscients qu'il se passait quelque chose. J'ai perçu le soulagement général de la classe, heureuse de constater que la prof s'en prenait à la fille trop sensible.

– Bray ?

– Oui, madame Eel.

– Connais-tu le mot en français pour dire « âne » ?

– Non, madame Eel.

– Connais-tu le mot en français désignant le bruit que fait l'âne ?

– Non, madame Eel.

– Peux-tu imiter l'âne ?

– Non, madame Eel.

– Mais si tu peux, Bray.

– S'il vous plaît, madame Eel, ne faites pas ça.

– Fais le bruit de l'âne, Bray.

– S'il vous plaît…

– Bray, Bray. À quoi ressemble un âne, Bray ?

– Je ne sais pas, madame Eel.

– Regarde-toi dans une glace, Bray.

Lamentable ? Vous oubliez le pouvoir de l'humiliation. Vous ne vous rendez pas compte du cadeau qu'offrait madame Eel à tous les connards de la classe. Mais nous étions tous aspirés par la haine et le pouvoir de domination de la prof. La classe y prenait plaisir. Un chrétien était jeté aux lions et nous étions le peuple de Rome, applaudissant à chaque bouchée. Évidemment, il n'y avait pas d'applaudissements, uniquement une joie silencieuse.

C'était insupportable. D'autres gamins dans la classe méritaient ce genre de traitement mais pas cette pauvre Maddy Bray au long visage. Je crois qu'il restait en moi un peu de colère. De la colère mélangée à la honte de ne pas avoir réagi tout à l'heure lorsque j'étais face à Roth.

Si j'avais été un autre que Paul Varderman, j'aurais peut-être été capable de dire un truc drôle ou malin pour mettre fin aux tourments de Maddy. Mais moi, je ne suis ni drôle ni malin. Alors j'ai fait autrement. C'était une idée de dernière minute, même si, pour dire la vérité, j'avais toujours rêvé de le faire. J'avais trouvé un bon moyen de m'échapper et j'avais même fait des recherches sur Internet, vu des photos et des vidéos.

Je suis tombé de ma chaise et je me suis mis à trembler. À trembler de tout mon corps. Je ne pouvais pas faire sortir de la mousse de ma bouche, et baver me semblait bien trop immonde, alors j'ai gardé la bouche bien fermée, comme si c'était un effet de la crise. Mes bras, le long de mon corps, étaient rigides. Je voulais donner l'impression que mes tremblements étaient le résultat d'une lutte contre une force irrésistible.

Je percevais le remue-ménage autour de moi. Il y a eu des cris, des hurlements, et le genre de bruits que font les gens quand ils sont à la fois écœurés et fascinés. J'ai entendu madame Eel. Du fait de son indignation et de sa colère, sa voix était haut perchée. J'avais tout gâché, j'avais gâché sa partie de plaisir avec Maddy Bray.

— Reculez-vous, laissez-moi voir, a-t-elle dit. A-t-il déjà fait ça ?

— Non, mademoiselle, a répondu un autre élève.

— Qu'est-ce que tu as dit ?

— Non, madame Eel. Je suis désolée, madame Eel. C'est lui qui se comporte bizarrement.

Je me suis dit alors que j'en avais suffisamment fait. J'ai arrêté de trembler et je suis resté allongé sans bouger.

– Il s'est arrêté, madame Eel.

– Je le vois bien, idiote.

– Peter, Peter, est-ce que tu m'entends ?

– Il s'appelle Paul, madame Eel, a dit quelqu'un.

Il y a eu un léger silence. Madame Eel devait être en train d'incendier du regard ses élèves.

– Paul ! Paul !

J'ai senti ses mains sur mes épaules. Elle s'est mise à me secouer, ce qui n'était probablement pas le traitement recommandé pour une crise d'épilepsie.

J'ai grogné.

– Madame Eel, nous devrions le mettre en position latérale de sécurité.

J'ai reconnu la voix de Maddy Bray.

– Vas-y toi, alors.

J'étais sur le dos. Des mains douces, inconnues, se sont posées sur mon corps, m'ont fait rouler, ont bougé mes jambes. J'ai senti son souffle sur ma joue. J'ai ouvert les yeux. Son visage était si près du mien que je ne voyais que ça. Elle a eu un mouvement de surprise quand elle a aperçu mes pupilles.

Et enfin, après toutes ces années, j'ai agi comme il fallait, j'ai fait un truc bien. Je lui ai fait un clin d'œil. Maddy Bray m'a souri rapidement. Elle partageait mon secret. Elle savait ce que j'avais fait.

8

J'étais à l'infirmerie, une petite pièce horrible où on nous envoyait si on avait vomi ou mal à la tête. Il y avait un lit médical recouvert de plastique noir et un seau pour vomir. Il y avait aussi un autre seau plein de sable et un mannequin. Il avait une tête et un torse, des bras attachés sur les côtés, mais pas de jambes. Je ne sais pas à quoi il servait – peut-être à faire des démonstrations sur le corps humain ou sur le bouche à bouche. Quelqu'un avait dessiné une bite entre ses lèvres. Je dis un mannequin mais on voyait à sa tête et à ses longs cheveux, en partie arrachés, que c'était une fille. Quelqu'un avait essayé de nettoyer le dessin de la bite, en vain. Désormais, le mannequin habitait dans un coin de l'infirmerie et semblait, bizarrement, un peu triste.

J'étais allongé sur le lit. Je me sentais nerveux, hésitant. La couverture en vinyle était brûlée et déchirée à certains endroits, et j'avais vraiment envie de triturer les trous.

Madame Eel avait été manifestement ravie de me voir partir. Je pense qu'elle n'aimait pas l'idée que quelqu'un meure dans sa salle de classe. Quand elle m'avait demandé de sortir, j'allais déjà mieux, enfin, j'avais fait semblant d'aller mieux. Je m'étais même rassis à mon bureau. Mais madame Eel m'avait ordonné d'aller voir la secrétaire et j'avais senti qu'il ne fallait pas la contredire.

La secrétaire, mademoiselle Bush, m'avait envoyé à l'infirmerie. Elle m'avait demandé si ça m'était déjà arrivé. J'avais dit que oui, que ça m'arrivait assez souvent, mais que ça durait seulement quelques minutes. Puis elle m'avait dit de m'allonger et de me taire. J'ai insisté, je me sentais bien à présent. J'ai voulu la rassurer en lui disant que j'allais mieux, mais elle tenait à faire son devoir et me faire allonger était la façon qu'elle avait de s'occuper de moi. Elle cherchait certainement à éviter les ennuis. Dans cette école, on semblait penser que le seul traitement efficace contre tous les maux était de rester étendu en silence. Je suis sûr que si un élève avait débarqué avec sa tête sous son bras, mademoiselle Bush lui aurait dit d'en faire autant.

Il y a eu un grincement et je me suis tourné vers la porte de l'infirmerie. Une tête est passée dans l'ouverture. Je ne savais pas à quoi m'attendre mais jamais je n'aurais imaginé le voir débarquer : Shane, le chef des Zarbis.

– Est-ce que je peux entrer ? a-t-il demandé d'une voix douce. Je sais que tu es très malade et je ne voudrais pas, enfin, ralentir ta guérison.

Il parlait d'un ton sérieux, et j'ai ri quand j'ai compris qu'il plaisantait.

– Est-ce que tu m'as apporté des raisins ?

– Non, juste des cacahuètes et des œufs durs.

Sa réponse m'a laissé perplexe. J'ai ri de nouveau, pensant que c'était une autre plaisanterie.

– J'ai appris ce que tu as fait. Maddy m'a raconté. C'est super.

– Ouais, bien, je ne pouvais pas... ne pouvais pas, enfin, tu vois, quoi.

– Ouais, mais la plupart des gens auraient... tu vois, quoi.

Il y avait toujours ce soupçon de moquerie dans ce que disait Shane, une volonté de ridiculiser. Mais je ne me suis pas énervé. Même s'il se moquait de moi, je voyais bien qu'il était de mon côté. Comme si nous étions tous les deux en train de nous moquer des autres et qu'ils nous le rendaient bien.

– Tu t'appelles Paul Varderman, c'est ça ?

J'ai fait oui de la tête.

– Moi, je m'appelle Shane.

– Je sais. Je crois que tout le monde sait qui tu es.

– Pourquoi ?

– À cause de Frisco.

L'histoire de Shane et Frisco était célèbre. Frisco était le professeur de sport, un petit Irlandais effrayant, qui ne s'exprimait que de deux manières : d'une voix sinistre et basse ou d'une voix tonitruante. Un jour de pluie, toute la classe était réunie en cours de sport. Frisco a voulu obliger Shane à faire quelque chose – je ne sais même plus quoi. Il s'est servi de sa voix d'outre-tombe, et Shane lui a répondu : « Je suis désolé monsieur, mais il va falloir que vous parliez plus fort. » Quand Frisco s'est mis à hurler, il lui a dit : « Ce n'est vraiment pas la peine de crier. » Ça paraît peut-être dérisoire, mais sur le coup ça avait été un moment fantastique. Personne n'avait jamais osé répondre à Frisco de cette manière, à la fois avec politesse et fermeté. Frisco a traîné Shane jusque dans la salle où l'on rangeait l'équipement – des poufs, des cerceaux, ce genre de choses – et nous avons entendu des cris, et le bruit d'un choc. Puis Frisco a hurlé : « Ta tête va rebondir sur le mur ! » Shane était ressorti de là comme si de rien n'était, pas même troublé ou agacé. Mais Frisco semblait, lui, avoir rebondi sur le mur. Ses cheveux étaient dressés sur sa tête et il avait le regard fou. Frisco était une tempête et Shane un phare. Un phare qui souriait.

C'est difficile de faire comprendre à quel point c'était génial. On voyait ça comme une petite victoire des élèves sur les professeurs mais, contrairement à d'habitude, ce n'était pas un élève violent qui intimidait un professeur trop faible. Les victoires de ce genre sont nombreuses et elles ne comptent pas. Non, c'est même pire : elles rendent la vie de chacun encore plus merdique. Cette fois, c'était différent : un élève avait tenu tête à une brute avec l'art et la manière. On trouvait ça cool.

Depuis cet épisode, ceux qui faisaient régner la terreur évitaient de se frotter à Shane. Tout le monde détestait les Zarbis, mais en présence de Shane on les laissait tranquilles.

– Madame Eel est une vieille connasse, ai-je dit. Enfin, pas si vieille.

– Mais une connasse. Ouais, Maddy m'en a parlé. Eh bien, devine quoi, elle est là.

– Madame Eel ?

– Ha ha ! Non, Maddy. Mais elle n'osait pas entrer.

J'ai senti que je rougissais. Shane m'a souri. Puis le visage de Maddy est apparu derrière la porte.

– Salut, a-t-elle lancé, apparemment aussi mal à l'aise que moi. Je voulais te remercier.

Elle a baissé les yeux. Elle n'était pas encore entièrement entrée dans la pièce.

– C'était rien, en fait.

Mon cœur battait la chamade et le son de ma voix résonnait étrangement dans ma tête. Mais je me suis obligé à poursuivre.

– Au moins, j'ai évité le cours.

– Ouais.

– Ouais.

Après un silence, Shane a dit :

– On se retrouve chez moi après l'école, si ça te dit de venir.

– C'est qui « on » ? Tu veux dire les Zar… ?

– Les Zarbis ?

– Je ne voulais pas…

– Ouais, non, tu as certainement mieux à faire. Enfin, une autre fois peut-être.

– Non, non, ai-je dit, essayant de ne pas paraître trop désespéré. Je n'ai rien à faire. Ça me dirait bien venir chez toi. Où est-ce que tu habites ?

– À Halton. Manston Gardens. Tu connais ?

– Ouais, je suis déjà allé par là-bas. Des maisons de riches.

– Pas vraiment. Après le dîner, à l'heure que tu veux. Je suis au numéro sept.

L'arrivée de monsieur Boyle dans l'infirmerie a provoqué du remue-ménage : il fallait qu'il glisse à côté de Maddy sans percuter Shane, tout en redressant ses lunettes. Il semblait désemparé.

– À plus tard, a dit Shane, et Maddy et lui ont disparu.

– Je voulais voir comment ça allait, a commencé monsieur Boyle. Tu te sens mieux ?

– Oui, monsieur. Ça va, monsieur.

– Très bien, très bien.

Il y a eu un silence et monsieur Boyle a repris, butant sur chaque mot.

– Est-ce que… ça a un rapport… avec ce qui s'est passé ce matin ?

– Que voulez-vous dire, monsieur ?

– J'ai eu l'impression que tu étais un peu secoué.

Je n'étais pas très fier de moi sur ce coup-là. Monsieur Boyle essayait d'être gentil. Il prenait le temps de venir voir comment j'allais, tentait de comprendre la situation alors que j'avais joué la comédie.

– Non, monsieur, ce n'est rien et il n'y a pas de rapport.

– Alors, très bien. Et je suis rassuré de voir que tes amis t'ont rendu visite.

Des amis ? Je ne pouvais pas vraiment les considérer comme mes amis. Mais, oui, ça m'avait fait plaisir.

– Peut-être as-tu envie de venir au club d'échecs, demain ? Tu sais, ils ne sont pas si terribles.

– De qui voulez-vous parler ?

– Des « binoclards ».

Ça m'a fait rire.

– Non, monsieur.

Non ! Je n'ai pas fait attention. J'ai pensé à la mort en tant que concept, et non en tant que réalité, une réalité qui se rapproche. Où en est le couteau ? Est-ce qu'il est plus près de moi maintenant ? Oui, évidemment. La silhouette fantomatique du couteau a avancé, entraînant le garçon avec elle. L'eau derrière moi a jailli. Des cœurs ont battu, le sang a coulé.

La fin est proche.

9

Je suis resté dans l'infirmerie tout l'après-midi. Je crois que mademoiselle Bush m'a oublié, et personne d'autre n'est venu. J'aurais pu rentrer chez moi. L'après-midi, j'avais cours de techno, et j'aimais bien la techno. Je fabriquais une voiture avec des résidus de morceaux de métal qui traînaient. Monsieur Robinson trouvait mon travail plutôt bon. Tant qu'on se comportait comme il fallait avec lui, il était sympa. Mais dès qu'un élève ne faisait pas un truc correctement – comme mal se servir de la machine-outil ou ne pas écouter les consignes de sécurité –, alors monsieur Robinson pouvait devenir son pire cauchemar.

J'aurais pu aller en techno, mais j'aimais bien être allongé, là, dans la pièce silencieuse aux relents de vieux vomi. Si je rentrais à la maison, j'aurais à expliquer la situation à ma mère.

J'attendais que la sonnerie signale la fin de chaque cours et je me mettais à l'affût de tous les autres bruits – les pas pressés, les voix qui portent. Le temps qui s'écoule entre deux cours est souvent un moment dangereux. On peut te pousser contre le mur du couloir, te faire un croche-pattes, ou te prendre ton sac et le jeter en bas de la cage d'escalier. Mais j'étais à l'abri de tout ça. De plus, j'aimais penser que, ensuite, j'irais faire un tour chez Shane. L'idée de traîner avec lui et ses amis était agréable mais aussi un peu effrayante. Chaque fois que j'essayais de nous imaginer ensemble, tout s'écroulait. Je ne les connaissais pas du tout, je ne savais pas de quoi ils auraient envie de parler. J'ai toujours été timide en présence de gens que je ne connais pas. Soit je ne dis rien, soit j'en dis trop. Ça pouvait foirer de mille façons différentes. Peut-être qu'ils me trouveraient ennuyeux ? Peut-être que j'allais dire un truc débile ?

J'ai pris la décision de ne pas y aller.

Non, il fallait que j'y aille.

Je voyais bien que ma vie ne tournait pas rond. Depuis mon arrivée dans cette école, les choses ne se passaient pas bien. Non, ce n'est pas qu'elles se passaient mal, c'est qu'elles ne se passaient pas. Tout court. Comme un plat qu'on a oublié au fond du frigo. Sans savoir pourquoi ni comment, j'avais le sentiment que Shane pouvait m'aider à me sortir de là.

La cloche de la fin de la journée a retenti. J'ai attendu quelques minutes que la situation se calme un peu dehors et je me suis levé.

Quelques gamins se chamaillaient encore dans la cour de récréation à l'arrière du bâtiment. D'habitude, je sortais par devant parce qu'il y avait plus de profs et que c'était sûr. Mais ça prenait plus de temps et j'étais pressé.

Ils m'ont sauté dessus quelques mètres après la grille. Ils s'étaient cachés derrière le mur de l'association de la vie scolaire. Miller et Bates. Ils m'ont chacun saisi un bras et m'ont traîné dans l'herbe jusqu'au ruisseau. Celui qui coule près de l'école. Il est sale, il pue et il y a des rats. Mon père disait que c'était pire à son époque. On racontait que ceux qui tombaient dans le ruisseau en mouraient. Ils ne se noyaient pas car il n'était pas assez profond (à moins que quelqu'un ne leur ait maintenu la tête sous l'eau), mais ils mouraient empoisonnés.

J'imaginais plus ou moins ce que Bates et Miller me réservaient. Ils allaient me jeter à l'eau. J'ai pensé que Bates voulait se venger parce que je l'avais menacé avec une stupide paire de ciseaux. Il avait dû trouver ça agaçant que Roth ne m'ait pas tabassé. La façon dont Roth m'avait protégé me laissait moi aussi perplexe. Cela dit, à présent il n'était pas là et Bates et Miller allaient me faire payer ma petite révolte de tout à l'heure.

Sauf que Roth était là. Je le distinguais mieux à mesure que nous nous rapprochions. Il était resté terré derrière les berges qui formaient une tranchée au bord de l'eau. Il nous tournait le dos et il était assis sur un manteau – pas le sien, lui, il portait une veste en cuir –, sans doute celui de Bates ou de Miller. Je ne suis pas très porté sur la mode mais je sais que la veste de Roth était ringarde.

Elle était même complètement ringarde. Mais elle était dure comme la peau d'un tatou.

– On l'a, Roth, a dit Miller. Il est sorti tard. Ce trouillard se planquait.

– Je ne me cachais pas, ai-je protesté.

Bates m'a tordu le bras et l'a ramené dans mon dos. Malgré la douleur, je n'ai pas crié. Il en fallait plus pour que j'appelle à l'aide.

En revanche, j'avais peur. Avec Miller ou Bates, j'aurais su à quoi m'attendre. C'était simple, ils m'auraient jeté dans l'eau. Ensuite, ils auraient bondi partout en riant, fiers de leur coup. Je pouvais endurer cela. C'était supportable. Mais il était impossible de savoir ce que Roth comptait faire de moi et je sentais la panique me nouer l'estomac.

Il a pivoté et regardé par-dessus son épaule. Il était si imposant que le mouvement m'a paru maladroit, comme s'il était gêné par ses propres muscles.

– À quoi tu joues ?

J'ai pensé qu'il me parlait et j'essayais de trouver une réponse mais c'est Miller qui a répondu :

– Rien, j'ai fait comme tu as dit, je lui ai demandé de…

– J'ai pas l'impression que vous lui ayez demandé. J'ai plutôt l'impression que vous l'avez forcé.

– Ouais, on l'a forcé mais…

– Lâchez-le.

Nous tournant le dos encore une fois, il a posé son regard sur la mousse marronnasse et bouillonnante qui recouvrait la surface de l'eau.

– Viens ici.

Une main dans mon dos m'a poussé en avant.

– Assieds-toi.

L'herbe était humide. Pas question bien sûr de partager le manteau. J'ai senti l'humidité s'infiltrer dans mon pantalon.

– Désolé pour ces barges. Je leur ai juste dit de te demander de venir pour qu'on ait une petite discussion.

– Ça va. Ils ne me dérangent pas.

Il a pivoté complètement vers moi et m'a dévisagé, le regard noir.

– Peut-être qu'ils devraient.

Était-ce une menace ? Ou bien voulait-il dire qu'il fallait que je m'oppose à eux ? À ses propres hommes de main ?

J'ai haussé les épaules. Ça devenait vraiment bizarre. Je ne comprenais pas ce qu'il me voulait ? Je ne pouvais pas m'empêcher de penser qu'il me tendait un piège. Je le voyais déjà se lever pour rejoindre Miller et Bates. Tous les trois me jetteraient dans l'eau ou me frapperaient au visage. C'est alors que j'ai remarqué Miller et Bates qui erraient le long de la rive et suivaient un chemin étroit, creusé par des milliers de chaussures d'enfants. Muni d'un long bâton, Miller battait la boue au fond du ruisseau et remuait de vieilles immondices. Des nuages de fanges verdâtres flottaient, dégageant une puanteur infecte, un mélange d'odeur d'œuf pourri et de merde.

– Je me pose des questions sur ces deux-là, a dit Roth sur le ton amical de la confidence.

– Tu peux, ai-je répondu.

Roth a ricané.

– Je ne leur confie rien d'important. Je n'ai pas confiance en eux. Ils seraient capables de me mentir sur ce qu'ils ont mangé au petit déjeuner.

J'ai ri. J'avais l'impression d'être aspiré par quelque chose qui me dépassait.

– Mais voilà, a-t-il dit en fixant de nouveau ses yeux noirs sur moi, j'ai un petit service à te demander.

– Un service ? ai-je dit en souriant faiblement.

– Ouais, trois fois rien. Une petite livraison.

– Qu'est-ce que c'est ?

– Panique pas, a lancé Roth en me tapant dans le dos. C'est pas lourd. T'as juste à le glisser dans ton sac.

C'est alors que j'ai remarqué le petit paquet posé à côté de Roth. Il était de la taille d'une boîte à chaussures, emballé dans du papier kraft et recouvert de cellophane. Quelqu'un s'était lâché d'une façon presque inquiétante sur le cellophane : enroulé autour du paquet comme le bandage d'une momie.

– Je ne sais pas si je peux…

– Tiens, voilà pour te récompenser de tes efforts.

Il a farfouillé dans sa poche et a sorti un billet de dix. Je n'ai fait aucun geste pour le prendre. Je connaissais le visage de Roth quand il s'apprêtait à exploser de rage : au lieu des signes de colère auxquels on pouvait s'attendre, son visage perdait toute expression. C'est ce qui s'est produit. Les traits de son visage se sont soudain lissés, révélant une implacable machine sans âme. Mais ça n'a duré qu'une seconde. Puis il a souri et a enfoui le billet dans une des poches poitrine de mon blazer.

– Bon garçon, a-t-il dit.

Mon visage m'avait-il trahi ? Roth avait-il compris que, face à sa menace indicible, je ferais tout ce qu'il voudrait ? Je crois que s'il m'avait forcé, j'aurais résisté. Je lui aurais dit oui et ensuite j'aurais jeté le paquet. Mais il considérait que j'étais d'accord. Pour lui, c'était évident, inévitable, et je me sentais complètement démuni face à cette assurance. Oui, Roth était intelligent.

J'ai fait une dernière tentative de refus.

– Tu ne peux pas demander à un de tes adjoints de faire la livraison ? ai-je demandé sans grande conviction.

– Regarde-les, a-t-il soupiré, et j'ai regardé dans la même direction que lui.

Bates tenait le bout de bois. Il avait récupéré des mauvaises herbes et de la vase au fond et les agitait devant Miller. Les deux bondissaient en ricanant.

– Un crétin et un nègre. Ils sont tellement débiles qu'ils ne peuvent pas péter et marcher en même temps.

La brutalité sans gêne des paroles de Roth m'a surpris. Je détestais ça et je le détestais lui aussi. Jamais je n'aurais cru Roth capable d'utiliser « nègre » dans une conversation aussi naturellement qu'il aurait dit « idiot ». Mais je crois qu'il l'a fait exprès, pour m'attirer à lui. Pendant quelques instants, je faisais partie de son cercle intime. Il n'y avait que Roth et moi. L'œil est l'endroit le moins dangereux d'un cyclone.

Et l'enfer a ses cercles.

Je me suis entendu dire :

– Où tu veux que je le dépose ?

Et voilà : je m'engageais.

– C'est bien, mon gars. Sur les terrains de sport. Ceux de Temple Moore. Tu peux y aller en bus.

– Mais tous les mecs de Temple Moore traînent là-bas !

– Ouais, c'est vrai.

Temple Moore était un lycée presque aussi violent que le nôtre. Depuis des années on se faisait la guerre. En ce moment, une paix boiteuse régnait entre les deux camps.

– Écoute, avec eux, c'est cool. D'ailleurs, c'est à l'un d'entre eux que tu vas livrer ça. Un garçon noir. Qui s'appelle Goddard. Les autres l'appellent Goddo. C'est lui qui me l'a demandé.

– C'est quoi ?

– Sérieux, Paul, tu n'as pas vraiment envie de savoir. C'est juste un paquet.

Je pouvais deviner.

De la drogue.

Je me suis senti mal.

Mais je ne pouvais plus faire marche arrière. Enfin, j'aurais pu mais il n'en était pas question. J'étais trop impliqué.

Dans notre école, la drogue n'a jamais eu beaucoup de succès. Une fois, il y a eu un sérieux problème : un trafic de colle et de solvants. Mais depuis qu'un gamin était mort en inhalant des vapeurs d'essence, les choses s'étaient calmées. Certains élèves plus âgés s'intéressaient un peu à l'herbe et aux excitants, mais ils ne faisaient qu'en parler.

– Tu m'as l'air un peu palot. J'te dis, t'as pas à t'en faire. Et c'est un tout petit service. Après ça, toi et moi, on est potes, ok ?

Je ne voulais pas devenir pote avec Roth. Je n'avais aucune envie de traîner avec lui et avec ses deux crétins, Bates et Miller. Mais je voulais qu'il me donne quelque chose en retour. Une chose difficile à cerner. L'idée m'était venue plus tôt dans la journée. C'était comme si Roth émettait des ondes magnétiques, des radiations, un truc dans le genre. Elles étaient de deux sortes. Il y avait le champ des ondes qui te tuaient, les ondes de la mort, et celles qui te protégeaient. Si tu étais dans le champ d'une onde protectrice, alors tout allait bien, tu étais à l'abri. À l'abri de tout. Mais il était parfois compliqué de savoir où un champ se terminait et où l'autre commençait.

Il m'a tendu le paquet. Il était plus lourd que ce que je m'étais imaginé. C'est drôle. Parfois, quand un paquet est plus lourd que ce à quoi on s'attend, c'est une surprise. Et j'aurais pu éprouver cette sensation ; c'était bien trop lourd pour être de la drogue. La boîte faisait le poids d'une balle de cricket, peut-être même plus.

– Quand dois-je l'apporter ?

– Maintenant.

– Maintenant ? Mais… j'ai rendez-vous.

– Ça peut attendre.

– Non, je…

Je n'ai pas insisté. De Temple Moore, je pouvais facilement aller à Halton, chez Shane. Simplement, je ne pourrais pas repasser chez moi. De toute manière, je n'avais pas la force de mentir à Roth.

Je lui ai demandé de nouveau :

– Dis-moi ce que c'est, Roth.

Roth a posé ses deux mains autour de mon cou, a serré, et m'a tiré vers lui. La douleur n'était pas si terrible, mais le message, lui, l'était : « Je peux te faire mal quand je veux », disait-il.

– Pose-moi la question encore une fois et tu verras, a-t-il soufflé, redoublant ma peur.

Ensuite, il m'a montré ses dents. J'étais si près que je pouvais en voir les bords élimés. On aurait dit qu'elles avaient été usées, poncées et lissées. *Je moudrai tes os pour en faire mon pain.* Voilà ce qui m'est venu à l'esprit.

– Allez, vas-y, sinon tu vas le rater.

J'ai hoché la tête. Je commençais à me lever quand Roth m'a attrapé le bras.

– Au cas où, a-t-il dit d'une voix basse, tu devrais prendre ça avec toi. Pour te défendre.

Sans me lâcher des yeux, il a déposé une chose métallique dans ma main. J'ai baissé la tête.

Les ciseaux.

Des fous rires ont éclaté. Arrivés à la dernière minute, Miller et Bates profitaient de la blague.

10

Je suis allé à l'arrêt de bus. J'aurais pu me rendre à pied à Temple Moore – il ne faut que vingt minutes – mais Roth m'avait dit de prendre le bus et j'avais peur qu'il m'observe. D'autres élèves étaient là qui s'amusaient à préparer des mauvais coups. Aucun visage familier. J'étais plongé dans mes pensées. Je pensais à Shane. À Maddy. Entre le moment où elle avait été frappée par la balle et sa visite à l'infirmerie, j'avais eu une révélation. J'avais pris conscience d'un truc qui devait être niché là depuis toujours. Je l'aimais bien. Je l'aimais beaucoup.

Ça doit vous paraître bizarre, surtout après ce que j'ai dit sur elle. Que c'était pas vraiment une fille cool. Pas vraiment jolie. Mais il y avait un truc chez elle. Un truc étrange. On aurait dit qu'elle entendait des voix ou qu'elle voyait des choses que les autres ne voyaient pas. Bon, je crois que je suis tout sauf convaincant. Je pensais peut-être tout simplement qu'elle était un peu comme moi.

Un bruit de klaxon tonitruant m'a violemment tiré de mes pensées. J'ai levé les yeux mais je savais déjà à quoi m'attendre. C'était mon père, penché à la fenêtre de la cabine de son camion. J'avais le visage en feu.

– Où tu vas, fiston ?

– En haut de la colline, papa. Je… Je dois retrouver des gens à Temple Moore.

– Grimpe, je vais t'y conduire.

– Non, ça va aller. Je vais prendre le bus.

– Pourquoi ? Tu vas gaspiller ton argent. Allez, monte.

Il m'a ouvert la porte et j'ai grimpé à l'intérieur. Il faisait chaud dans la cabine et ça sentait comme mon père – pas mauvais, juste une odeur de transpiration. J'ai ouvert la fenêtre. Le camion a tressauté, peinant à se mettre en marche.

– Qui sont ces amis, alors ?

– Des mecs du lycée.

– Mais pourquoi est-ce que tu as rendez-vous avec eux là-haut ? Il faut que tu fasses attention.

– Oui, papa. Je sais.

– Je t'ai raconté la bagarre qui a eu lieu là-bas, quand j'avais ton âge ?

– Oui, papa.

– Pratiquement toute l'école était là et a envahi la colline comme une armée. Et pourquoi ? Un des leurs avait piqué sa gonzesse à un de nos potes. On se battait vraiment pour un rien.

– Je sais, papa.

– Tous les costauds étaient au rendez-vous. À l'époque, une brute, c'était une brute. Pas comme maintenant.

– Tu m'as déjà dit, papa.

– Ce qui est drôle, c'est qu'on a pris une sacrée raclée ce jour-là. On était sur leur territoire. Et Temple Moore a toujours été plus grand comme lycée. Ils nous ont encerclés. Je n'étais même pas supposé me battre, j'étais venu pour regarder. Mais il y avait des petits et ils se sont retrouvés au milieu de la bagarre. Il a fallu que je les sorte de là.

– Je sais, papa.

– Il fallait bien que quelqu'un y aille.

Il m'avait raconté cette histoire un million de fois. À moi et à tous ceux qui voulaient bien l'écouter. Pour protéger les petits des assauts des grosses brutes de Temple Moore, il les avait entourés de ses bras. Après la bagarre, les petits avaient tous raconté qu'il leur avait sauvé la vie tandis que lui pensait surtout leur avoir évité les coups. Toujours d'après mon père, les ennemis de Temple Moore l'avaient regardé avec respect, parce qu'ils reconnaissaient son courage. Je n'en pouvais plus de l'entendre.

– Mais tout va bien, papa. On ne se bat plus avec eux.

– Alors qu'est-ce que tu vas faire là-haut ?

– Je te l'ai dit, je vais voir des potes. Tu peux me déposer ici, d'accord ?

– Ok, fiston.

Il a passé sa main dans mes cheveux.

– Évite les ennuis, c'est compris ?

– À plus tard.

Je suis passé par les magasins en haut de la colline. Il y avait un magasin où on pouvait acheter n'importe quelle merde pour une livre – des batteries de merde, des biscuits de merde, des habits de bébé de merde. Il y avait aussi un revendeur d'alcool : le type restait caché derrière sa grille pour ne pas se faire braquer. C'était le premier magasin de ce genre dans notre ville. Au début, les gens s'y rendaient par simple curiosité. Ils trouvaient ça divertissant, ça semblait tout droit sorti d'un film américain.

Après les magasins, on arrivait dans un endroit désert. S'il n'y avait pas eu l'ombre de la cité HLM, on aurait pu se croire à la campagne. Nous avions étudié l'histoire de ce lieu à l'école. La terre avait été donnée aux Templiers en mille deux cent quelque chose. Puis les Templiers avaient été massacrés, pas par les Sarrasins mais par les rois d'Europe qui voulaient leur argent. Ensuite, je ne me souviens plus de ce qu'est devenue notre terre mais je sais que, des centaines d'années après, quelqu'un y a construit une énorme demeure. Elle est toujours là, plutôt belle. On peut la visiter et voir les chaises et les lits des gens riches qui habitaient là avant.

Je n'avais pas besoin de passer près de la maison pour me rendre aux terrains de sport. Je les connaissais bien parce que la journée sportive de l'école était organisée là, une fois par an. C'est drôle, ces journées sont mon meilleur souvenir du lycée. Une année, je ne sais pas pourquoi, Frisco m'a désigné volontaire pour le triple saut. Je ne suis pas mauvais en sport, pas excellent non plus. Je ne fais partie d'aucune équipe, mais je sais courir. Frisco a dit : « Il y a des volontaires pour le triple saut ? », et il a poursuivi, avant que quiconque ait pu lever la main : « OK, toi, Varderman. »

Je n'avais jamais fait de triple saut. Ni moi ni personne, d'ailleurs. C'était une nouveauté que Frisco avait sûrement lancée pour que ses élèves se cassent la gueule devant tout le lycée. Ce jour-là, il faisait beau. Tous les garçons les plus athlétiques de mon année concouraient contre moi. J'ai fait quelques sauts pour m'entraîner. La première fois, je me suis raté : j'ai trébuché et j'ai fini par terre. La deuxième fois, j'y suis allé plus doucement, décomposant chaque étape : bondir, sautiller, sauter. Je ne suis pas allé très loin, mais je savais le faire – en gros, j'avais saisi le truc.

Nous avions pris du retard sur le programme de la journée et nous n'avons été autorisés à faire qu'un seul saut lors de la compétition. J'ai trouvé ça stupide. C'était certainement encore une idée de Frisco pour nous ridiculiser. Et ça a failli marcher. Les sauts des autres ne ressemblaient à rien. Les élèves mordaient sur la ligne, se trompaient dans les étapes, ou ne les respectaient pas, pensant que sauter le plus loin possible suffisait.

Enfin, ça a été mon tour. Et j'ai réussi, tout simplement. C'était facile. Il n'y avait pas grand monde qui me regardait car d'autres événements sportifs se déroulaient en même temps. Un mec qui s'appelait Franklin m'a donné un coup de poing sur le côté de la tête parce que je l'avais battu. Ça m'était égal.

C'est la seule fois où j'ai fini premier à l'école. Cette victoire m'appartient.

～

Attendez ! Je n'ai jamais dit que le couteau ne pouvait pas se déplacer. J'ai dit qu'il ne pouvait pas m'atteindre. La distance se réduit de moitié et le temps se réduit de moitié. L'absence de mouvement ne constitue pas l'infini. Au contraire. Ma stratégie fonctionne. Je suis à l'abri. Le couteau n'arrivera jamais jusqu'ici.

Nous sommes à l'abri.

11

Je les ai vus qui traînaient à côté des vestiaires et du club-house. Ils étaient six autour des quelques bancs – peut-être sept. Je trouvais qu'ils avaient un air plutôt méchant, mais mes impressions étaient peut-être déformées par la peur.

Je pourrais dire le moment précis où ils m'ont vu parce que leurs corps ont tressailli, parcourus par une vague d'excitation.

Pour eux, c'était l'heure de s'amuser.

J'ai sorti la boîte de mon sac. Je la tenais devant moi tout en m'approchant d'eux. J'essayais d'avoir l'air occupé, inoffensif. C'était ridicule. Comme si je pouvais représenter un danger à leurs yeux. Mais je voulais au moins leur faire comprendre que j'avais une bonne raison d'être là. Il ne fallait pas qu'ils pensent que je traînais là comme un gamin suffisamment naïf pour se faire piquer son argent de poche.

Les membres du gang ne parlaient plus. À présent, ils me regardaient et leur attitude était ouvertement hostile. J'ai essayé de penser à mon père et à ce qu'il aurait fait. Pourtant, penser à mon père ne m'avait jamais vraiment aidé. D'une certaine façon, sa force me rendait faible. Son courage me donnait envie de fuir.

À une dizaine de mètres, je me suis arrêté et j'ai crié :

– J'ai quelque chose pour Goddo.

Ma voix a choisi ce moment pour se briser et les mots qui ont jailli de ma bouche ressemblaient à un coassement aigu. Au moins, cela a détendu l'atmosphère. Ils ont ri.

Trop fort.

Trop longtemps.

– T'as entendu, Goddo ? Il a quelque chose pour toi, a dit enfin l'un d'eux imitant ma voix.

Nouvelle crise de rire. Impossible de savoir comment tout cela allait finir.

– Il ferait bien de me l'apporter, alors, a dit Goddo.

Son ton n'était pas menaçant. Ses mots contenaient même un sourire, ou du moins la promesse d'un sourire. L'écart entre lui et Roth m'a frappé. Roth essayait toujours de faire valoir son pouvoir de domination sur les gens. Il tenait à leur faire comprendre qu'il était le maître et eux la boue. Goddo, en revanche, n'écrasait pas les autres pour qu'ils s'inclinent devant lui. Enfin, c'est l'impression qu'il donnait. Peut-être qu'il agissait comme ça pour ne pas m'effrayer. Après tout, j'étais encore suffisamment loin pour pouvoir m'échapper si je courais à toute vitesse.

Pourtant, je n'avais pas l'intention de m'enfuir. Je craignais trop les représailles de Roth.

– Ça doit être ton anniversaire, a dit l'un des membres de la bande alors que je parcourais le reste du chemin jusqu'à eux.

C'était un maigrichon avec les cheveux dressés sur la tête. Il avait l'air d'avoir été recraché par un chien.

J'ai tendu le paquet à Goddo.

– Ça vient de qui ?

– Roth.

– Roth ? a-t-il répété, l'air perplexe.

Pouvait-on ne pas connaître Roth ? Je n'avais pas pensé à ça. C'était comme de ne pas savoir qui était Jésus, ou la reine.

Puis il a percuté.

– Ah ! Tu parles du gorille ?

Les autres ont ri. Celui aux cheveux pointés en bataille a imité la démarche du singe, faisant des roulades maladroites et laissant traîner le dos de ses mains par terre.

Je n'aimais pas ça. Qu'ils traitent Roth de gorille, cela m'était bien égal. En revanche, que Goddo ne soit au courant de rien me terrorisait. L'idée de servir de mule ne m'enchantait pas mais je m'étais dit que je ne risquais rien puisque c'était un accord entre eux. Manifestement, ce n'était pas le cas.

Goddo a soupesé le paquet.

– Mmm, plutôt lourd. C'est quoi ?

– Chais pas. Je suis que le messager.

J'avais réussi à parler sans couiner.

– Ouvre-le, a dit le mec aux cheveux en l'air, tirant Goddo par le bras.

– Tu crois que j'fais quoi, là ? a répondu Goddo, se débarrassant de lui.

Il déroulait le cellophane.

– Tu m'donnes un couteau, Mickey ?

Un couteau. Un frisson m'a traversé.

Mickey, le maigrichon, a sorti un couteau suisse. Je me suis senti étrangement rassuré en le voyant. Bien sûr, un canif peut tuer, mais ce n'est pas vraiment une arme de choix quand on veut commettre un meurtre. Imagine qu'au lieu de la lame, tu sortes le tournevis ou la lime à ongles ?

Goddo s'est servi d'un des petits couteaux pour défaire l'emballage. Le papier marron a cédé et Goddo l'a laissé tomber. Un cœur avait été collé sur la boîte.

– Je me suis trompé, en fait c'est la saint Valentin, a dit Mickey.

C'était visiblement lui le comique du groupe. Mais personne n'a ri. Ils étaient trop obnubilés par la boîte.

J'aurais dû profiter de ce moment pour prendre la fuite, parce qu'ils ne m'auraient sans doute pas rattrapé.

Le visage de Goddo a changé. Il ne souriait plus. Il a pris la boîte dans son autre main et a observé ses doigts, frottant son pouce contre son index comme s'ils étaient recouverts d'une substance collante. Puis il a soulevé la boîte et a jeté un coup d'œil en dessous.

– Y a un truc qui coule, a-t-il dit, presque pour lui-même.

Il a ouvert la boîte.

Et l'a laissé tomber.

Mickey a poussé un cri, les autres aussi, et il a fait un pas en arrière.

J'aurais dû fuir. Je leur aurais échappé, c'est sûr. Mais j'étais moi-même hypnotisé par la boîte, piégé par mon désir de savoir ce qu'elle contenait. Alors, au lieu de reculer, je me suis avancé et j'ai cherché du regard ce qui les avait tant effrayés.

La boîte était vide. Son contenu avait roulé à l'extérieur. Pendant encore une seconde, je n'ai rien vu et j'ai continué à m'approcher. Et là, je l'ai découverte.

C'était une tête.

Une tête de chien.

Avec des poils noirs et marron. Une langue rose pendante. Des yeux mornes, fixant au loin. Des crocs blancs. Du sang épais qui coulait.

On aurait dit un pitbull. Sauf que je n'avais jamais vu un pitbull si vulnérable. Ou si mort.

– Suzie !

C'est Goddo qui a parlé. Ensuite, il a fait une chose délirante. Il a ramassé la tête et a embrassé les lèvres noires.

À ce moment-là, j'ai dû émettre un bruit parce qu'ils se sont tournés vers moi. Ils m'avaient oublié. Je me suis mis à courir, mais c'était trop tard, ils m'ont rattrapé. Deux d'entre eux m'ont agrippé les bras et un autre m'a tiré par les cheveux. Mickey se tenait devant moi. Sans que je sache comment, il avait récupéré son couteau des mains de Goddo. Il a brandi la lame vers mon cou exposé. Ils criaient. Le monde semblait tournoyer et se débobiner devant mes yeux.

– Tranche-lui la gorge ! a rugi l'un de ceux qui me tenaient.

– Ouais, saigne-le !

– Tu as vu ce qu'il a fait, Goddo ? a demandé Mickey. Je vais lui couper la tête et la leur renvoyer. Tête pour tête.

Les mecs m'ont tordu un peu plus les bras, manquant de les déboîter. J'ai senti une main se rapprocher de mon crâne, s'enrouler dans mes cheveux, et tirer d'un coup sec. J'ai tressailli de douleur. Pas question pourtant de quitter le couteau des yeux. Mickey a posé le tranchant sur ma gorge et il a appuyé. J'ai senti la lame pénétrer ma chair et un filet de sang chaud a dégouliné le long de ma peau.

– Oh, bébé pleure, bébé pleure.

– Laisse-le.

Encore Goddo. Je l'aurais remercié. Il a poussé Mickey hors de son chemin, et ma gratitude s'est vite transformée en terreur. Il tenait la tête du chien dans ses mains. Ses yeux avaient disparu. Il semblait enragé, à la limite de la folie.

Il a avancé son visage tout près du mien puis a soulevé la tête de chien.

– Pourquoi ?

– Je te jure que je sais pas. Roth… C'était un piège… Contre moi. Je ne suis pas son pote.

Je tremblais. Des larmes roulaient le long de mes joues. Je ne savais pas si Goddo m'entendait.

– Est-ce que tu savais ce que c'était ? a-t-il demandé, appuyant la tête de chien contre ma joue.

– Non, je ne savais pas. J'te jure ! Je croyais que c'était de la drogue.

– C'était mon chiot, a-t-il dit avant de reculer.

Il a tourné le dos au groupe. Tous, nous attendions sa réaction. Au bout d'un long moment, il a pivoté sur lui-même, nous a regardés, et j'ai su que j'allais être sauvé.

– Laissez-le partir.

Une sorte de gémissement collectif s'est élevé.

– Mais ce qu'il a fait… Goddo, on…

– Taisez-vous ! Comme il l'a dit, ce n'est que le messager. Le facteur.

– Quand même, Goddo, on le tient. Ouais, c'est lui qu'on a. Parfois, il faut se débrouiller avec ce qu'on a sous la main. Comme ça on peut leur renvoyer un message.

– On peut au moins le taillader.

Goddo les a ignorés. Il a fait un pas vers moi.

– Allez, Goddo, on va leur donner une bonne leçon, a dit Mickey un peu à l'écart, sa voix basse, empressée, suppliante. On ne peut pas les laisser nous manquer de respect comme ça. Maintenant, c'est la guerre.

Goddo l'a regardé comme s'il le voyait pour la première fois. Son visage s'est transformé de nouveau. Il ne semblait pas en colère, ni fou. Tout à coup, il était juste parfaitement sérieux. Il ressemblait à Roth.

– Pour une fois, tu as raison, Mickey. On est en guerre. Mais cette tapette n'a rien à voir là-dedans.

Il s'est adressé à moi.

– Tu dis que c'est Roth qui m'a envoyé ça ?

– Roth, oui, ai-je répondu en tremblant.

– Donne-lui ce message de ma part. Dis-lui que Goddo va le tuer. Tu comprends ?

– Oui.

– Tu n'oublieras pas ?

– Non.

– Je vais m'en assurer.

Goddo a étiré la mâchoire du chien et l'a fixée comme un étau autour de mon visage. Je n'avais pas le choix, j'ai respiré l'odeur de sang et de mort et elle est entrée dans mes poumons. Puis, Goddo a déplacé la tête et les crocs de l'animal m'ont griffé les joues.

12

– Paul !

Je ne m'attendais pas à ce que ce soit Maddy Bray qui ouvre la porte.

– Je suis là pour voir… Shane m'a dit de venir.

J'aurais certainement dû rentrer chez moi après l'incident de Temple Moore. Alors, qu'est-ce qui m'avait pris de venir ici ? Je crois que mon cerveau ne fonctionnait plus très bien. J'avais passé une demi-heure avec Goddo et ses potes dans un état oscillant entre la peur et la terreur absolue. Ensuite, ma vie avait été aspirée dans la gueule d'un chien mort. Depuis, j'étais paralysé. Je n'étais plus rien.

Je n'étais pas venu seulement parce que je ne parvenais plus à penser. Il y avait autre chose. Je croyais que Shane pourrait m'aider. Je ne comptais pas tellement sur lui pour le côté pratique – remettre de l'ordre dans mon visage ou gérer Goddo et Roth. Je pensais surtout qu'il pouvait me remonter le moral. C'était bête, en fait. Je ne le connaissais même pas. Je ne savais pas ce que j'attendais de lui. J'espérais peut-être qu'il pourrait me sauver, sauver mon âme.

– Qu'est-ce qui t'est arrivé ?

Maddy semblait désolée, presque dégoûtée. Je ne m'étais pas rendu compte que c'était si horrible à voir.

– J'ai eu des ennuis.

– Tu ferais mieux d'entrer.

Maddy portait encore son uniforme de l'école mais d'une façon plus décontractée. Ça lui allait bien.

La maison de Shane était vieille et haute. Tout, à l'intérieur, de ses pointes à ses courbes, semblait chercher à atteindre le ciel. Du coup, ma maison et toutes celles de mon quartier me paraissaient trapues, basses et austères comme des grottes.

Maddy s'est poussée sur le côté et j'ai fait un pas dans l'entrée. Dans notre maison, la porte donnait directement dans le salon. Ici, l'espace résonnait comme dans une église. D'ailleurs, il y avait des vitraux, un sur la porte d'entrée, et un au-dessus de l'escalier, sur le palier. Le sol était recouvert de petits carreaux noirs et blancs. Je me suis arrêté pour les observer, hypnotisé.

– Est-ce que je dois enlever mes chaussures ?

Maddy a ri et je me suis senti bête. Chez nous, il faut toujours enlever ses chaussures pour ne pas salir la moquette.

– Je ne pense pas, a-t-elle répondu, et ensuite je crois qu'elle s'en est voulu d'avoir ri, parce qu'elle m'a adressé un sourire très doux.

– Ça ne semble pas déranger les parents de Shane. De toute façon, ils ne sont pas là. On est tous au sous-sol. Shane saura ce qu'il faut faire. Pour ton visage. C'est par ici.

Je l'ai suivie au bout du hall et dans une cuisine toute en bois poli et en inox. Ensuite, nous avons passé une porte qui menait au sous-sol, dans un monde nouveau et sombre. Il m'a fallu quelques secondes pour m'habituer à l'obscurité totale. Cinq autres personnes étaient assises là sur des vieux fauteuils et sur le canapé. Une grosse télé était posée dans un coin.

– Hé, Paul !

Shane s'est levé et s'est dirigé vers moi, en souriant. Son sourire s'est éteint quand il m'a vu.

– Bordel, qu'est-ce qui t'est arrivé ?

Aussitôt, les autres se sont levés et m'ont encerclé. Ça ressemblait curieusement à la scène que je venais de vivre avec Goddo et sa bande, l'impression qu'on allait me trancher la gorge en moins.

Je leur ai raconté toute l'histoire. À mi-parcours, Shane a disparu et il est revenu avec une boîte en métal sur laquelle une croix rouge était peinte. Il a imbibé des boules de coton d'un liquide piquant et a nettoyé les plaies sur mon visage. Il était assis sur le canapé à côté de moi, le regard concentré et inquiet.

– C'est moins pire que ça en a l'air, a-t-il dit.

Je leur ai alors expliqué la raison des blessures sur mon visage : le chien, la tête, les crocs.

– C'est immonde, a commenté une fille à la peau blanche et aux lèvres violettes.

Elle n'avait pas les lèvres violettes quand je l'avais vue à l'école quelques heures plus tôt.

– La morsure d'un chien est toujours pire que ses aboiements, a dit un autre garçon, que je ne connaissais pas.

Pour je ne sais quelle raison, j'ai trouvé cette remarque plus agaçante que drôle.

Shane a attendu la fin de mon histoire pour me présenter aux autres.

– Tu connais Maddy, a-t-il dit, avant de se tourner vers le groupe : Paul lui a sauvé la mise avec madame Vous-Savez-Qui.

– Ouais, j'ai entendu parler de ça. Excellent ! a lancé un garçon qui en fait était beaucoup trop gros et joyeux pour être un Zarbi, mais qui tentait le coup quand même.

– Ça c'est Billy, a dit Shane en désignant du pouce le gars joyeux, et Billy m'a fait un petit salut de la main.

Puis il m'a présenté à Serena, la fille aux lèvres violettes. Je n'avais pas l'air de beaucoup l'intéresser, comme tout le reste d'ailleurs. Mais il fallait bien avouer que, quelle que soit la couleur de ses lèvres, elle était jolie. Il y avait aussi Stevie, qui faisait au moins deux mètres et qui était très silencieux. Et enfin, un garçon prénommé Kirk. Celui qui avait fait la remarque déplacée sur la morsure du chien.

Kirk ressemblait énormément à Shane. C'en était déroutant. Non seulement il s'habillait comme Shane, mais son visage ressemblait étrangement à celui de Shane. Ils n'avaient pourtant pas les mêmes traits. D'ailleurs, quand on les observait minutieusement, on voyait bien qu'ils étaient complètement différents. Pourtant c'était comme si, à force de l'admirer, Kirk était parvenu à faire de son visage un masque de celui de Shane.

– C'est quoi ta partie préférée ? a-t-il demandé.

De quoi parlait-il ? Voulait-il savoir quel moment j'avais préféré quand les gars de Temple Moore m'avaient agressé ?

– Il parle de *Withnail et moi*, a expliqué le gros Billy.

– Quoi ?

Je ne comprenais toujours rien.

– *Withnail et moi* – tu sais, le film.

Ah, le film passait en ce moment à la télé. Un DVD.

– Désolé, je n'en ai jamais entendu parler.

– Oh, mec, c'est génial ! s'est enthousiasmé Billy, pleurant déjà à moitié de rire. On l'a tous vu au moins un millier de fois. Moi, j'aime bien l'oncle Monty.

– Que les gros de ce monde s'unissent ! Vous n'avez rien à perdre à part vos doubles mentons, a dit Kirk.

Ça devenait vraiment très bizarre. J'étais toujours autant dans le flou.

– Tu vas voir, on se marre bien, a dit Shane. La première fois c'est toujours la meilleure, mais le problème c'est que tu ne t'en aperçois qu'une fois que c'est fini. Le drame de l'expérience...

Il a pris la télécommande et a rembobiné le film. Pendant l'heure et demie qui a suivi, nous avons tous regardé *Withnail et moi*. C'est l'histoire de deux acteurs dans les années soixante ou soixante-dix qui sont souvent ivres, prennent de la drogue et font des conneries.

C'est vraiment très drôle et ça l'aurait été encore plus si les Zarbis n'avaient pas gâché les meilleures répliques en les hurlant avant même que les acteurs ne les aient prononcés.

Mais je me suis bien amusé. Vraiment. J'avais besoin d'oublier les mâchoires du chien et le film a parfaitement fait l'affaire. Billy était sympa, il me donnait un coup de coude dès qu'on approchait d'un passage amusant. Shane était gentil, et Maddy m'a souri deux fois. En tout, ça faisait trois sourires. La fille avec les lèvres violettes – Serena – n'était pas très bavarde. Stevie, le gars qui faisait plus de deux mètres, n'a rien dit du tout, et c'était très bien comme ça.

Le seul dont je ne savais pas quoi penser, c'était Kirk. Il ne s'exprimait qu'en sous-entendus et donnait à chacune de ses phrases un ton sarcastique. Quand il parlait, il se tournait vers Shane pour vérifier qu'il avait bien entendu et approuvait. Il n'a rien dit sur moi – enfin, ce n'est pas une certitude –, mais on ne savait jamais avec lui. De toute manière, je ne pense pas qu'il aurait osé me vanner. J'avais vécu quelque chose de traumatisant, cela n'aurait pas fait bon effet. À mon avis, il aurait bien aimé. Il n'était visiblement pas ravi de voir débarquer quelqu'un d'extérieur au groupe. Et malgré leur gentillesse, ils me considéraient certainement comme un étranger.

Autre chose encore : Kirk n'aimait pas que Shane fasse attention à moi. Il n'aimait pas ça du tout.

À un moment donné, le rythme du film s'est ralenti et Kirk en a profité pour me demander quels étaient mes groupes préférés. Il n'y avait pas de bonnes ou de mauvaises réponses mais tous ces regards posés sur moi me rendaient nerveux. C'était quoi les groupes zarbis ? Je pressentais que certains groupes qui pouvaient sembler bizarres étaient en fait faussement bizarres, ou pas assez bizarres, et ne plaisaient qu'aux gamines de neuf ans. Si je choisissais un de ceux-là par erreur, ce serait un désastre. Mais j'ai eu un éclair de génie. Les anciens.

– J'aime bien les Beatles.

Avant que Kirk puisse parler, Shane a lancé :

– Hé, Paul, bon choix. L'*Album blanc* est mon deuxième album préféré de tous les temps.

– Super, a ajouté Stevie.

Je crois que c'était la première fois qu'il ouvrait la bouche.

Kirk semblait désorienté. Ses yeux faisaient la navette entre Shane et moi.

– Ouais, moi aussi, a-t-il conclu.

Son intervention a fait l'effet d'un pétard mouillé et même Stevie a ri. Une discussion générale a suivi : des noms de groupe ont été lancés, mais j'ai perdu le fil entre ceux qu'il fallait aimer et ceux qui étaient nuls.

Le film s'est terminé vers neuf heures.

– Je vais commander une pizza, a déclaré Shane. Tu restes avec nous ? On va mettre de la musique, traîner encore.

– Ouais, faut éduquer ce garçon, a lancé Kirk, d'un ton qui paraissait amical.

Je me suis rendu compte que j'avais faim et surtout envie de rester dans cette cave chaude et sombre avec mes nouveaux amis. Peut-être que j'en apprendrais plus

sur cette musique dont ils parlaient avec tant d'enthousiasme. Mais ils n'étaient pas vraiment mes amis, pas
encore, et je craignais d'avoir déjà un peu abusé de leur
accueil. En plus, j'avais l'impression que mon cerveau
était grillé. Il s'était passé beaucoup trop de choses
aujourd'hui. J'avais besoin de temps pour réfléchir,
remettre de l'ordre dans tout ça.

– Non, vaut mieux que j'y aille. Mes parents… Enfin,
merci quand même.

– OK, pas de problème. Je te raccompagne, j'ai un coup
de fil à passer en haut.

J'ai dit au revoir aux autres. Billy a lancé un truc sympa,
et Maddy m'a souri de nouveau. Quatre fois au total.

En montant l'escalier, Shane m'a dit :

– On n'a pas parlé de Roth, de ce qu'on allait faire.

– J'ai livré son paquet. Ma mission est terminée.

– Ouais, c'est sûr. Mais il est… dangereux, tu sais.

J'ai ri.

– Ah ouais ? J'avais pas remarqué.

Shane a pris un air sérieux, puis il a souri.

– Ouais, c'est sûr. Enfin, pas seulement parce que c'est
une brute et qu'il peut te coller une raclée. Il est dangereux… Ah, bordel ! tu vas me prendre pour un taré… Je
pense qu'il est dangereux pour ton âme.

Shane ne m'avait jamais paru si hésitant, si peu sûr de
lui. J'ai pris ce qu'il me disait encore plus au sérieux.

– Tu vois ce que je veux dire ? a-t-il insisté.

– Oui.

– OK. Il a eu l'air soulagé mais il restait sérieux.
Demain, tu devrais traîner avec nous. Quand on se serre

les coudes... eh bien, je pense que tu as remarqué, on nous laisse tranquille.

– Merci, ai-je dit, un peu embarrassé.

De la musique provenait d'en haut. Shane a ouvert la porte menant à une immense pièce, et le son s'est déversé autour de nous. De la musique classique. Jamais je n'avais été dans une maison où les gens écoutent ce style de musique. Deux adultes, certainement la mère et le père de Shane, étaient assis sur un canapé de forme étrange. Ils buvaient du vin dans de grands verres en forme de tulipe. Ils avaient tous les deux les yeux fermés. Je ne tenais pas à entrer dans le salon, je ne voulais pas briser ce moment d'intimité.

– Hé, maman, je peux commander une pizza ?

La mère de Shane a ouvert les yeux. Ils étaient immenses, et tellement bleus, que j'ai cru qu'ils n'étaient pas humains. Son visage possédait quelque chose d'immobile. Shane lui ressemblait énormément. Elle était très belle.

– Bien sûr. Sers-toi de ma carte de crédit. Elle est dans mon sac, dans l'entrée.

Ensuite, ses yeux étonnants se sont tournés vers moi.

– Qui est ton nouvel ami ?

– Paul. Il a eu quelques ennuis.

La mère de Shane s'est levée et s'est avancée vers moi.

– Ah oui, je vois ça. Tu t'en vas ?

– Oui, je dois... je dois rentrer chez moi.

J'ai rougi. Pour éviter de croiser ces yeux bleus, j'ai regardé mes pieds.

– Tu es blessé.

Elle a tendu sa main et m'a touché la joue, là où les crocs du chien avaient raclé ma peau.

– C'est rien. Ça ne fait même pas mal. Shane a mis du produit dessus.

– D'accord, mais laisse-moi au moins te donner un peu d'argent pour un taxi ?

C'est là que je me suis mis à paniquer. Je n'étais jamais monté dans un taxi. Je ne savais pas comment faire, quoi dire. J'avais peur de ne pas savoir expliquer le trajet, de ne pas payer le chauffeur correctement.

– Non, honnêtement, ça va aller, merci, merci beaucoup.

Je suis sorti de là en courant, lançant un rapide au revoir à Shane.

～

Il pleut. Est-ce que j'ai dit qu'il pleuvait ? Non, peut-être que je ne peux pas l'affirmer. Ce qui est sûr, c'est qu'il y a d'énormes gouttelettes d'eau piégées dans l'air et parfaitement immobiles. Je peux voir leur forme, allongée, comme des larmes. J'en vois aussi qui viennent heurter le sol, éclatant comme de petites bombes. Les visages autour de moi sont mouillés. Leurs cheveux sont aplatis et assombris par la pluie. Et puis tout change. Chaque goutte de pluie est tout à coup bien plus près de sa mort éclatante. Le couteau se rapproche de nouveau, le couteau qui brille sous la pluie.

13

Il était environ dix heures quand je suis rentré. Mes parents regardaient le tirage du loto à la télé. Des couches de fumée âcre flottaient dans l'air. Maman tenait sa cigarette dirigée vers le haut. Une tour de cendres tordue se tenait en équilibre à l'extrémité. Je n'essayais plus de la convaincre d'arrêter la clope. Ça ne faisait que l'énerver.

J'avais l'autorisation de sortir jusqu'à neuf heures. Mon père a levé la tête du canapé.

– T'étais où, Paul ?

À l'entendre, on aurait pu croire que ça l'intéressait. Mais il ne poussait jamais la curiosité jusqu'au bout.

– Dehors, papa. Comme je t'ai dit, avec des amis.

J'ai attendu quelques secondes pour voir si lui ou ma mère allait ajouter autre chose. Mais ils étaient obnubilés par les séries de chiffres à la télé.

– Y a quelque chose à manger ?

Silence.

Ils ne jouaient même pas au loto.

– Fais-toi des frites au four, a dit maman après que la dernière boule avait dodeliné jusqu'à son emplacement.

Je suis allé dans la cuisine et j'ai jeté un œil dans le congélateur. Il n'y avait pas de frites au four, seulement des petits pois et un bac à glaçons. J'ai trouvé du fromage dans le frigo, un peu de pain de mie dans la panière et je me suis fait un sandwich. Le fromage était dur et sec, comme la peau des pieds d'un vieux. Je repensais à Shane, à sa belle cuisine dans sa belle maison, et à ses parents qui écoutaient de la musique classique en fermant les yeux.

Papa est venu faire chauffer la bouilloire.

– Une tasse de thé t'aidera à faire passer tout ça, a-t-il dit en désignant mon sandwich.

C'est le moment d'en dire plus sur mon père. Il est très grand et large. Son ventre est gros et si tendu qu'on ne peut pas y enfoncer son doigt. Mon père prend beaucoup de place mais il m'a toujours paru petit, plus petit qu'en vrai. Peut-être à cause de sa tête. Il perd ses cheveux à vue d'œil et son visage semble rétrécir au fur et à mesure.

Mon père est bruyant. Il crie beaucoup. Il rit fort, d'un rire qui ressemble surtout à un rugissement. Même quand il parle normalement, il braille. Il doit croire que tout le monde est sourd, ou trop loin pour l'entendre.

Mais mon père est un type sympa. De temps en temps, il vient me chercher à l'école. Parfois, il ne conduit que le tracteur – c'est comme ça qu'il appelle la partie frontale du camion. Parfois, il se déplace avec un containeur accroché à l'arrière du véhicule. Il arrive que celui-ci soit utilisé pour transporter des trucs honteux et que ce soit écrit en toutes lettres sur les parois. Dans ces cas-là, je fais semblant de ne pas reconnaître mon père. Un jour, le containeur était plein de trucs de filles, pour l'hygiène quoi. Le lendemain, au lycée, j'ai eu droit au *jingle* de la pub toute la journée. Un autre jour, il y a eu des tartes. Tout le monde a dit que c'était parce que mon père mangeait l'équivalent d'un containeur de tartes tous les soirs. Quoi qu'il en soit, j'avais honte. Chaque fois qu'il me voyait, mon père klaxonnait en criant mon nom. J'avoue qu'il m'est souvent arrivé de faire demi-tour en le voyant et de traîner dans l'école jusqu'à ce qu'il s'en aille.

Je détestais qu'il vienne me chercher avec son camion mais j'aimais beaucoup l'intérieur de la cabine. Le siège était doux à force d'être usé et, installé en hauteur, je me sentais puissant. C'était là que mon père était le plus heureux. Dans son tracteur, il m'a raconté toutes les histoires de son enfance et ses récits de guerres. En dehors, on ne se parlait pas beaucoup.

Mon père est un type bien. C'est quelqu'un de plutôt brutal, mais il ne nous frappe jamais, maman et moi. Parfois, il m'attrape et il frotte son poing sur le haut de mon crâne. Je sais qu'il le fait pour s'amuser mais c'est douloureux. Quand j'étais petit, il me chatouillait avec une telle force que j'avais plutôt l'impression qu'il me battait. Je le suppliais d'arrêter mais il ne m'écoutait jamais. Dans mes souvenirs, mon père me chatouille, encore et encore.

Ce qui caractérise mon père c'est qu'il est obsédé par la guerre et par tout ce qui s'y rapporte. Il aime toutes les guerres, aussi variées soient-elles. Les Grecs et les Romains, les chevaliers, Trafalgar, Waterloo, Wellington, les navires, les canons, la bataille d'Angleterre, les bombardiers de Lancaster, Stalingrad. Il possède beaucoup de livres sur la guerre. Il a aussi une étagère entière de cassettes vidéo qu'on ne peut pas regarder parce que le magnétoscope est cassé. Il dit que ce n'est pas la peine de le faire réparer parce que tout sort en DVD de nos jours. Pourtant, il ne veut pas jeter les cassettes et le magnétoscope, ni acheter un lecteur DVD. J'ai lu ses livres parce que ce sont les seuls livres de la maison. Exceptés ceux de maman qui ne parlent que de femmes tristes qui tombent amoureuses de mystérieux inconnus. Aujourd'hui, maman ne lit plus, elle est trop épuisée.

Ma mère est le contraire de mon père. Elle est petite, calme et elle est gentille. Quand elle n'est pas trop fatiguée. Bien que différente de mon père, elle ne le contredit jamais. Lorsqu'elle n'est pas d'accord avec lui, elle garde ses réflexions pour elle et préfère se taire. Elle travaille dur : elle fait le ménage dans les hôpitaux et quelquefois, elle nettoie aussi des bureaux en ville.

Mais me voilà revenu dans la cuisine avec mon père.

Il m'observait d'une façon étrange.

– Qu'est-ce qui est arrivé à ton visage ? a-t-il demandé, soupçonneux. Tu t'es battu ?

Je ne pense pas que cela l'aurait beaucoup inquiété que je dise oui. Je crois même qu'il aurait été fier. J'aurais pu alors sortir une blague du genre : « Si tu voyais la tête de l'autre gars. » Ça lui aurait plu.

– Non, pas vraiment.

– D'accord, alors comment tu t'es fait ces marques sur ton visage, fiston ? Ça s'est passé à Temple Moore ?

J'ai eu l'impression qu'il était plus dégoûté que préoccupé.

– On dirait que tu as été mordu.

– C'est rien, papa.

Je savais où il voulait en venir, pourquoi il s'inquiétait. Mon père craignait sans doute que je sois gay. Il devait penser que ces marques sur mon visage avaient un rapport avec ça. Je détestais que mon père puisse me croire gay. Ça me retournait l'estomac. Mon père pensait que c'était sale d'être gay. À ses yeux, si j'étais gay, j'étais sale. Il redoutait tellement que ses peurs soient confirmées qu'il était incapable de me poser clairement la question. Il se contentait de faire des allusions.

Je n'avais plus faim.

– Je vais me coucher, ai-je dit en laissant la fin de mon sandwich.

Je ne me sentais pas bien. J'étais en colère, et aussi très fatigué. Je pouvais à peine ouvrir la bouche.

– Mais je t'ai fait du thé ! Avec deux sucres…

J'avais envie de quitter la pièce en criant et en claquant la porte. C'est ce que tout adolescent qui se respecte aurait fait. Mais, comme je l'ai dit, mon père n'était pas si terrible. En revanche, il n'avait pas connu les mêmes choses que moi et il ne comprenait rien à rien. De toute manière, j'étais bien trop fatigué pour faire une crise.

– OK, papa, ai-je dit, mon visage figé comme un masque. Je vais l'emporter en haut avec moi.

– N'en renverse pas dans l'escalier, fiston. Cette moquette est...

Je pense qu'il s'apprêtait à dire « neuve », avant de se rappeler qu'elle avait au moins dix ans.

14

Je suis doué pour refouler mes pensées. Quand je les sens remonter à la surface, je les repousse bien au fond, comme on aplatit des déchets dans une poubelle pleine. Certains diront que ne pas penser aux choses est une faiblesse. Mais à quoi ça sert ? Est-ce que ça va faire avancer les choses de penser à des mecs comme Goddo ou Roth ?

En me rendant au lycée ce matin-là, j'étais concentré sur la cannette de Coca écrasée dans laquelle je donnais des coups de pieds. Je savais qu'il y aurait tout un groupe d'élèves devant la grille de l'école, mais je m'en fichais. Je m'étais toujours faufilé entre eux sans problème. Il suffisait de garder les yeux baissés et de ne croiser le regard de personne.

J'avançais, le regard fixé au sol, complètement absorbé dans l'observation du bitume quand j'ai senti une main sur mon torse.

– Tu d'vrais regarder où tu vas. Tu risques de te cogner. Tu pourrais te faire mal.

Bates.

Ensuite, une autre voix, plus grave.

– Paul, viens-là.

Roth.

J'ai levé la tête. Roth était appuyé contre la grille ouverte de l'école. Miller a eu un mouvement de recul et il est allé se réfugier à ses côtés. J'ai ressenti de la haine envers Miller, plus encore que pour Roth. On déteste toujours plus celui qui est juste au-dessus de nous dans la hiérarchie que celui qui est tout en haut.

– Qu'est-ce que tu veux ? ai-je demandé avec l'intention de regarder Roth dans les yeux.

Mais c'était impossible. Mes yeux ont glissé sur son visage comme des œufs au plat sur une assiette. Bon, je n'avais pas pu soutenir son regard mais je n'étais pas non plus accouru à ses côtés comme un chien. Je lui avais répondu et rien que ça, c'était pas ordinaire : Roth avait l'habitude qu'on lui dise toujours « oui ».

Le rire aigu et moqueur de Miller a déchiré l'air froid du matin, se réduisant à un bruit indéfinissable. Est-ce que le visage inexpressif de Roth a changé ? Je ne sais pas, peut-être qu'une lueur l'a traversé. Un sourire peut-être, une menace, une grimace.

Il m'a fait un signe et a répété :

– Viens ici !

Sa voix n'était pas menaçante. Ce n'était pas la peine. Sans le vouloir, j'ai réagi. Mais avant que je parvienne à sa hauteur, Roth a bondi en avant. J'ai sursauté, m'attendant à recevoir un coup de poing ou pire mais il n'a rien fait. Il a simplement passé son bras autour de mes épaules, son bras lourd comme un cadavre. Il m'a éloigné des grilles et de la foule, désignant un endroit près du ruisseau. Miller et Bates nous suivaient.

– T'as fait ce que je t'ai demandé ? a-t-il chuchoté de manière assourdissante dans mes oreilles.

– Ouais.

– À Goddo ?

– Ouais.

– Goddo en personne, pas un de ses potes ?

– Ouais.

Roth a attendu, le visage en alerte. Je n'ai rien dit.

– Et… ?

– Et quoi ?

Roth avait retiré son bras de mon épaule. À présent, il me regardait droit dans les yeux. Pour la première fois, j'ai ressenti qu'il y avait chez lui quelque chose d'enfantin, d'incertain.

– Écoute, Varderman, j'ai été plutôt sympa avec toi ces derniers temps. Ce que tu as fait, ce que tu as dit, eh bien, ça aurait pu te valoir des ennuis. Mais j'ai toujours pensé que t'étais différent. Je croyais que toi et moi, on pouvait devenir potes. Parce qu'on se comprenait. Mais si tu te fous de moi…

– J'aurais pu me faire tuer. Ils avaient un couteau.

Ma voix s'est brisée quand j'ai dit « couteau ». Miller a ri. Roth a déplié son bras sur le côté et l'a frappé en plein dans la mâchoire. Miller est tombé, les mains sur le visage.

– Tais-toi ! a ordonné Roth sans même regarder Miller. Varderman a raison. Il a fait un boulot pour nous. Il est allé de l'autre côté des lignes ennemies. Mieux, il est allé dans le repaire de la bête. Et il en est revenu. Montre-lui un peu de respect, OK ?

Le coup qu'avait reçu Miller était léger mais se faire frapper par Roth n'avait rien d'une plaisanterie. Miller était à genoux. Il se balançait en pleurant silencieusement.

– J'ai dit « OK » ?

– Ouais, désolé, désolé.

Pendant un instant, j'ai cessé de détester Miller.

– Dis-moi ce qui s'est passé.

– J'ai fait ce que tu as dit. J'ai trouvé Goddo sur les terrains de sport. Il était avec ses potes. Ils ont ouvert la boîte.

– Ouais ? ouais ?

Roth était tellement fébrile qu'il en bavait presque. Il me regardait comme un ivrogne regarde une bouteille.

– Quand ils l'ont trouvée…

– Quoi ? Continue.

Je me repassais la scène dans ma tête. L'air horrifié de Goddo, sa réaction à la limite de la démence. J'aurais pu raconter ça à Roth, mais je ne voulais pas lui procurer cette joie.

– Il a trouvé ça drôle.

– Drôle ?

– Ouais, il a dit que ça faisait des jours qu'il essayait de se débarrasser du chien.

Roth s'est tourné vers Bates.

– Tu m'as assuré qu'il adorait son chien. Tu m'as juré qu'il ne vivait que pour lui.

– Mais c'est vrai, Roth. Tout le monde est au courant. Il l'adorait.

– On dirait pas.

– À mon avis, ça ne lui a fait ni chaud ni froid, ai-je affirmé.

– OK, mais alors pourquoi t'as dit que tu avais failli te faire tuer ? Ils t'ont bien menacé avec un couteau ?

– Même si Goddo se fichait pas mal de la mort de son chien, ça ne veut pas dire qu'il n'avait pas compris tes intentions.

Roth a réfléchi pendant quelques instants.

– Tu t'en es bien sorti. Je pensais que t'allais t'enfuir avant qu'ils s'en prennent à toi. Ça m'aurait embêté qu'ils te fassent mal.

Il a touché le sparadrap sur ma joue.

– Y a quoi, là-dessous ?

Je lui ai raconté ce que Goddard m'avait fait subir avec la tête du chien. Je me suis limité aux faits, sans lui parler de la puanteur ou du reste. Je crois que ça l'a touché. Je crois qu'il a éprouvé quelque chose. N'allez pas croire qu'il était désolé pour moi ou qu'il me trouvait tout à coup sympathique. Ce qu'il ressentait ? Il vivait ça comme une offense. Ses ennemis avaient éraflé mon visage avec les mâchoires d'un chien mort. Pour lui, c'était comme s'ils lui avaient fait la même chose.

– Tu t'en es bien sorti, a-t-il conclu en hochant la tête.

J'avais l'impression que quelque chose avait changé. J'étais passé de l'autre côté. Dans son camp. Du moins, c'est ce que lui pensait.

– J'ai un truc pour toi, a-t-il dit.

Miller s'était relevé, et lui et Bates se tenaient près de nous. Roth a glissé sa main dans une poche de sa veste. J'étais fébrile. Je luttais contre cette nervosité, mais c'était ainsi.

Bizarrement, il avait suffi que j'essaie de résister à Roth – en lui racontant ce mensonge sur Goddo –, pour me rapprocher de lui. Ça me faisait penser au cauchemar où il y a un monstre qui te poursuit. Tu peux sentir son souffle sur ton cou et tu sais qu'il est derrière toi. Mais, tout à coup, tu te rends compte qu'il est devant toi, et qu'au lieu de t'éloigner, tu as couru vers lui.

– Montre ta main.

J'ai ouvert les doigts.

L'instant d'après, il était là, dans le creux de ma paume.

Lourd, solide, lisse, parfait.

Il faisait vingt centimètres de long. Le manche était en bois foncé, avec un revêtement en laiton poli à la base de la lame. Et quelle lame ! L'extrémité s'incurvait doucement et remontait pour former une pointe bien nette, fine comme une feuille, une chose vivante. Si le tranchant de la lame était délicat à cet endroit il perdait ensuite sa douce forme incurvée pour se transformer en une rangée de dents violemment aiguisées. J'avais envie de les toucher. Je caressais les échancrures avec mon pouce de la façon dont on ébouriffe les poils sur le cou d'un chat.

Je sais à quoi servent ces dents. Grâce à elles, tu peux attraper une autre lame et la retenir ou la briser. Enfoncées dans la chair, les dents décuplent la douleur. L'entaille s'agrandit en une bouche rouge béante et déchiquetée, vomissant la vie à grands flots.

Pendant quelques secondes, il n'y avait rien d'autre au monde que le couteau et moi. Non, pire que ça : seulement le couteau, la main qui le tenait, l'œil qui s'abreuvait de sa beauté... C'était tout ce qui restait de moi.

– Il est chouette, hein ?

Je suis revenu à moi. *Chouette* ?

– Ouais.

– Maintenant, range-moi ça. Personne ne doit savoir, tu comprends ?

J'ai hoché la tête.

– Autre chose.

Roth s'est avancé de nouveau vers moi, se voulant intime, confiant. Son énorme visage remplissait l'espace, de la même façon que la lune, parfois, semble occuper la totalité du ciel.

– Tu es le seul à pouvoir comprendre. Pas ces... singes, là, ces babouins. Maintenant que tu as ce couteau, t'as plus à craindre personne. Jamais. Tu m'suis ?

– Ouais, mais...

– Ce n'est pas tout. Sans la peur, t'as plus besoin de haïr. C'est la magie du truc.

Un sourire s'est étalé sur son visage comme une étoile dans la nuit. Ce sourire était une des choses les plus terribles que j'avais jamais vue, avec toutes ces petites dents blanches, détachées les unes des autres.

— Et sans haine, tu es heureux. Tu m'suis ? Ouais ? T'es avec moi ?

Ses yeux étaient humides, brillants de joie.

Roth était si près de moi à présent que je pouvais sentir son haleine. Je ne comprenais pas vraiment ce qu'il disait, parce que j'étais toujours absorbé par le couteau. J'ai réalisé bien plus tard à quel point Roth était fou.

— Tiens, et mets-le là-dedans, m'a-t-il dit en me donnant un fourreau en cuir noir. Pour que tu te files pas un coup dans les couilles.

Un rire bruyant a résonné du côté de Bates et Miller, les singes de Roth.

15

On peut dire que la matinée a été bizarre. À part Roth, Bates, Miller et moi, personne n'était au courant pour le couteau. Pourtant, j'avais l'impression qu'au lycée on me traitait différemment. Tout à coup, on me respectait. Les gens m'ouvraient les portes, les retenaient pour qu'elles ne viennent pas s'écraser sur mon nez. Personne ne m'a percuté dans le couloir ou, dans les toilettes, ne m'a frappé à l'arrière du crâne pour que ma tête cogne contre le mur au-dessus de l'urinoir. Quand j'intervenais en classe, les profs écoutaient. J'avais l'impression d'être plus grand, entouré de silhouettes voûtées et rampantes.

Tout ça grâce au couteau. Je sentais son poids à l'intérieur de ma poche. Je n'arrêtais pas de le caresser. Ou d'éventer délibérément mon blazer pour sentir sa masse solide heurter mon torse, en réponse aux battements de mon cœur.

À la pause du matin, j'étais toujours dans mon rêve. Dans la cour, sans y réfléchir, je me suis dirigé vers les Zarbis. Il faisait froid et gris, et ils se protégeaient du monde en se serrant épaule contre épaule.

– Salut, Paul, a dit le gros Billy.

Ses yeux disparaissaient complètement quand il souriait.

– Salut, Billy.

J'ai constaté l'absence de Shane et de Maddy Bray, mais Kirk (le sosie de Shane, le sous-Shane) et Serena aux lèvres violettes étaient là. Il y avait aussi Stevie, toujours silencieux, semblable à une baguette de bambou noir.

Le langage corporel de Kirk m'indiquait qu'il était en plein one-man-show et qu'il n'était pas ravi de me voir. Il a essayé de poursuivre :

– Et tu peux télécharger plein de trucs pour rien, vraiment rien, et si tu vas sur BitTorrent...

Mais les autres ne faisaient plus attention à lui (s'ils avaient un instant fait attention à lui). Alors il m'a dit :

– Je t'ai vu avec Roth tout à l'heure. Je pensais que ça t'avait servi de leçon.

Les autres se sont tournés vers moi. Comment avais-je pu parler à Roth après les horreurs de la veille ?

– Ouais, c'est-à-dire que je n'avais pas vraiment le choix.

– Peut-être, mais tu devrais éviter ce mec. Sauf si tu aimes te faire léchouiller par un chien mort.

Il a ri brusquement, fier de sa propre blague, mais s'est arrêté quand il a vu que les autres ne le suivaient pas.

– Paul sait tout ça, a interrompu Billy.

Puis, il a rajouté, avec espoir :

– N'est-ce pas, Paul ?

J'ai fait oui de la tête. Tout en regardant Kirk, j'ai dit :

– Mais vous, il ne vous embête pas beaucoup, si ?

Je m'étais déjà fait cette remarque. Tout le monde détestait les Zarbis mais Roth n'avait même pas l'air de savoir qu'ils existaient. C'était comme s'il ne les calculait pas. Une ou deux fois, je l'avais vu vaguement regarder dans leur direction, les yeux dans le vide. Peut-être qu'il avait pensé qu'il était temps de s'occuper d'eux ? Peut-être qu'il avait envisagé de déclencher des persécutions concrètes, ciblées, au lieu de laisser les poids plume et les bons à rien faire le boulot ? Qui sait ? Mais ensuite il avait légèrement secoué la tête et il était passé à autre chose.

On pouvait analyser ça de deux façons. Soit il estimait que les Zarbis étaient tellement insignifiants qu'il n'avait même pas à s'en préoccuper. Soit il se sentait menacé par leur étrangeté et s'inquiétait du fait que ses propres armes n'auraient peut-être aucun effet sur eux. À moins qu'il n'ait tout simplement pas encore eu le temps de leur régler leur compte.

Je savais que ma question allait énerver Kirk. Cela rabaissait leur condition de victime. D'un groupe de souffre-douleur, ils devenaient une bande de ringards.

– On n'est pas non plus les meilleurs amis du monde, a-t-il répondu, ses yeux errant à l'horizon, comme s'il cherchait quelque chose au loin.

Juste à ce moment-là j'ai vu un ballon voler jusqu'à nous. Il avait été frappé par un des gamins de huitième année qui jouaient à un jeu au croisement entre le foot et la Seconde Guerre mondiale. La veille, ils avaient sans doute vu la balle lancée en direction des *losers* et ils avaient dû trouver ça très drôle. Le ballon était de taille réduite en cuir argenté, et assez lourd. Le prendre dans la figure était sans doute douloureux. Si le ballon s'était dirigé vers Kirk, je n'aurais certainement rien fait. Mais ce n'était pas le cas. Il allait frapper Serena. Alors je l'ai attrapé. Quand les autres Zarbis se sont rendu compte de ce qui se passait, ils ont sursauté. Certains ont recouvert leur visage avec leurs mains, d'autres se sont courbés. Sans que je sache pourquoi, la scène s'est figée dans ma tête, comme si j'avais pris une photo. Ils me faisaient penser à une grosse araignée noire dont les pattes auraient formé des angles improbables. Ou aux victimes d'une explosion.

Mais j'ai attrapé la balle et j'ai dû avoir l'air très cool. Les huitième année ont poussé un soupir de déception. L'un d'entre eux, pas celui qui avait frappé mais un autre, est venu me demander de lui rendre son ballon. La veille, je l'aurais fait.

– Sympa, ta balle, ai-je dit.

J'ai fait comme si j'allais la lui rendre.

Mais au dernier moment, je l'ai reprise et je l'ai envoyée valser d'un immense coup de pied, au-delà de la grille de l'école et du ruisseau, dans le champ des gitans. Elle a rebondi une ou deux fois sur les bandes de terre et d'herbe drue, puis a disparu en tressautant.

L'élève de huitième année m'a regardé, stupéfait. Il avait les cheveux rasés et ses oreilles étaient couvertes de croûtes infectées par un piercing raté.

– Pourquoi t'as fait ça ?

– J'avais envie. La prochaine fois, c'est ta tête.

Il était visiblement troublé. Il ne comprenait pas : normalement, avec les Zarbis quand on leur balançait le ballon dessus, ils se contentaient de regarder avec un air désolé. Et de se déplacer un peu plus loin. C'était drôle. Mais ils n'envoyaient pas le ballon dans le champ des gitans et ne parlaient pas comme s'ils ne craignaient personne.

Il est parti, d'un pas lourd, sur le long chemin qui menait en dehors de l'enceinte de l'école, jusqu'au ruisseau et au champ des gitans. Heureusement qu'il n'était qu'un nain croûteux de huitième année.

– C'était génial, a dit Billy quand le gamin a été parti.

– Moi, j'ai trouvé ça plutôt méchant.

Shane. Il venait d'apparaître, discrètement. Maddy était avec lui.

– Mais ces gamins avaient l'intention de nous faire mal, ai-je protesté, agacé qu'il n'ait pas apprécié ce que j'avais fait. Si tu ne dis jamais rien, ils continuent. C'est comme avec Hitler.

Tout le monde a ri. C'était peut-être exagéré comme image mais je voulais leur expliquer.

– Personne ne s'est opposé à lui pendant les années trente et il a continué à faire de pire en pire.

– Politique d'apaisement, a dit Kirk, pour montrer qu'il connaissait le terme.

Moi aussi, je connaissais ce mot. La guerre, c'était mon domaine.

– Alors, pourquoi est-ce que tu ne l'as pas cogné ? a demandé Shane. Tu es plus grand que lui, non ? Tu aurais pu lui remettre les idées en place.

Il m'a fallu quelques secondes pour comprendre que son ton était sarcastique. En général, quand les gens veulent se moquer, ça se remarque à l'expression de leur visage et au ton employé. Mais Shane avait parlé d'une voix normale, et son visage était le même que d'habitude.

C'était à mon tour d'être confus, et je devais avoir la même tête que l'élève de huitième année.

– Je ne voulais pas le taper. Je voulais qu'il… je ne sais pas… fasse plus attention la prochaine fois.

Bizarrement, j'avais honte de moi, tout en ayant le sentiment que je n'avais pas à avoir honte. Ce que j'avais fait n'était pas si méchant. J'avais frappé la balle, pas le gamin. J'étais énervé contre Shane. Pour qui se prenait-il ? Ma conscience ? J'ai relevé les épaules, voulant me cacher dans ma carapace. J'avais envie de partir. Puis j'ai senti la main de Shane sur mon bras.

– Et comment va ton visage ?

C'était fini. Plus de reproches. J'étais content qu'il se souvienne que j'avais été blessé.

Pigeon.

Au déjeuner, je me suis assis avec eux. Serena avait apporté une salade avec des graines et des morceaux de laitue à la forme bizarre. Stevie-manche-à-balai a juste bu du Coca. Mais les autres mangeaient des choses normales. Quand j'ai demandé à Stevie si c'était tout ce qu'il mangeait – enfin, qu'il avalait –, il m'a répondu qu'il ne pouvait se nourrir que quand il faisait sombre. Kirk en a profité pour plaisanter sur le fait qu'il était un vampire et Shane lui a demandé d'arrêter de dire des conneries : non seulement les vampires ne buvaient pas de Coca mais ils ne pouvaient pas survivre à la lumière du jour. Or, il a ajouté, nous étions en plein milieu de la journée, alors pourquoi Stevie ne brûlait-il pas ? Puis ils se sont lancés dans une discussion sur les vampires en général, sujet qui semblait leur tenir à cœur. Shane trouvait ça drôle que les vampires, en particulier Dracula, soient perçus comme des aristocrates, des comtes et tout ça, parce que, à l'origine, ils étaient de simples paysans hagards. D'après lui, tout était de la faute de Byron, ou plutôt de son médecin, dont je ne sais plus le nom. Le médecin avait écrit une histoire sur un vampire riche, qui en fait n'était autre que Byron. J'avais du mal à suivre, et je crois que Shane s'en est rendu compte. Il m'a expliqué qu'il y a deux cents ans, Byron était l'homme le plus connu d'Angleterre, et pas seulement pour sa poésie. Il avait un pied-bot et il couchait avec tout le monde, aussi bien les enfants de chœur que sa sœur. On disait que sa femme avait demandé le divorce parce qu'il l'avait obligée à faire quelque chose de si sale au lit qu'elle n'avait jamais pu en parler. Suite à ce scandale, l'histoire qu'avait écrite le médecin de Byron – celle du vampire – était devenue très vite populaire, et elle était à l'origine de l'image du vampire riche.

Une discussion vraiment intéressante. Même si j'ai regretté que personne ne puisse me dire ce qu'était un pied-bot. Curieusement, toute cette conversation ne m'a pas semblé étrange. D'habitude, je ne passais pas mon heure de déjeuner à parler de vampires ou de poètes morts. Ça aurait dû me faire flipper. Mais là, non.

Ça m'a même permis d'oublier le couteau.

À la fin du déjeuner, j'ai étendu le bras pour attraper mon sac sous la table et j'ai touché la main de Maddy par hasard. Je me suis excusé et elle m'a souri. Pour la cinquième fois. Quand j'ai tendu le bras pour saisir mon sac, quelque chose est tombé de la poche de mon blazer. J'avais complètement oublié le couteau et il m'a fallu quelques secondes pour comprendre ce qui s'était passé. Toujours dans son fourreau de cuir, il a heurté le carrelage en faisant un bruit sourd. Sans réfléchir, Maddy l'a ramassé pour moi.

Elle a vu ce que c'était. Les yeux écarquillés, elle l'a exposé dans sa main.

– C'est quoi ce bordel ? a dit Kirk.

J'ai saisi le couteau et j'ai observé mes nouveaux amis. Ils paraissaient tous estomaqués. Mais il y avait autre chose. Étaient-ils aussi impressionnés ? Amusés ? Je n'ai pas réussi à savoir.

Pas Shane. Son visage était parfaitement vide. Je ne pouvais pas le regarder en face.

– Je dois y aller, ai-je annoncé sans m'adresser à personne en particulier, et j'ai pris mes jambes à mon cou.

～

Pendant que je regarde le couteau et la main qui le tient, je sens quelque chose derrière moi. Une ombre. Une présence. Mais elle est douce et ronde, et ne peut pas me faire de mal. Alors je la mets de côté. Toute mon attention doit être tournée devant moi. Mon esprit tout entier doit se concentrer sur le couteau, sur le garçon.

16

Ça s'est passé quelques jours plus tard.

Jusque-là les journées avaient été tranquilles. Je passais du temps avec Shane et sa bande. Pour la première fois depuis mon arrivée dans cette école, j'avais l'impression de faire partie de quelque chose. D'accord, je n'étais pas encore un membre à part entière de leur groupe. Je n'étais pas un Zarbi mais j'avais changé. Je me sentais différent, et je pensais à des choses auxquelles je n'avais jamais pensé avant. Sur le monde et sur ce qui ne tournait pas rond – pas seulement sur le petit bout de planète dans lequel je vivais. Quand je marchais, je ne baissais plus toujours la tête. Je n'avais pas encore eu le courage de vraiment parler à Maddy, mais elle semblait accepter ma présence près d'elle dans la cour ou au déjeuner.

Pourtant, tout n'était pas parfait. Kirk ne m'aimait pas. Très souvent, il orientait la conversation de manière à ce que je ne puisse pas suivre. Mais je me disais que Kirk n'était qu'une personne parmi tant d'autres. Et je savais par expérience qu'il valait mieux être ignoré que frappé.

Le mercredi après-midi suivant, j'étais dans le labo de sciences au troisième étage, devant les lavabos, et je regardais l'arrière de l'école par la fenêtre. Il y a une petite cour carrée et ensuite les grands terrains de sport rectangulaires qu'on utilise par tous les temps. Puis la grille, les portes de l'école, et un bâtiment qui avait été une maison pour les jeunes mais qui était abandonnée à présent, une coquille semblable à une dent pourrie. Les murs de la maison sont toujours recouverts de graffitis. Des sexes, des gros mots, des noms d'élèves et de profs ou d'équipes de foot. À un moment donné, j'avais pensé imprimer moi aussi ma marque sur le mur. J'avais acheté une bombe de peinture blanche et je m'y étais rendu en douce, tard le soir. Mais une fois devant la cabane, debout devant le mur, je n'avais pas su quoi écrire. J'avais secoué la bombe pour entendre le cliquetis du roulement des billes, mais rien d'autre. Je n'avais pas de surnom à tagger, et à cette époque-là aucune fille ne me plaisait encore. Je ne voulais pas écrire le nom d'une équipe de foot merdique ni recopier ce que les autres avaient déjà gribouillé : mots vulgaires et dessins scabreux. J'étais aussi vide que l'ancien club. Alors j'avais jeté la bombe dans le champ des gitans et j'étais rentré à la maison.

J'ai vu un gamin faire ce que je n'avais pas pu faire. Je ne pouvais pas lire ce qu'il taggait, mais c'était facile à deviner car il faisait de grands mouvements avec ses bras et des petits pas.

Des mots.

Je l'ai observé pendant que je rinçais mon tube à essai, sans penser au garçon et à ce qu'il faisait. Je ne l'ai même pas signalé aux autres élèves autour de moi.

Quand est venue l'heure de rentrer à la maison, je n'y pensais même plus. Jusqu'à ce que je voie la foule. Au collège, je me souviens que nous avions eu des têtards. Quelqu'un avait ramassé la masse gélatineuse d'un frai dans le ruisseau – ce qui relevait du miracle parce que rien n'était supposé vivre là-dedans à part des rats et des algues immondes, vertes et épaisses. Nous les avions nourris avec de petits morceaux de viande attachés à une ficelle. Il avait fallu un peu de temps aux têtards pour comprendre que c'était l'heure du dîner mais ensuite ils avaient tous nagé vers la viande. On ne s'attendait pas du tout à ce qui c'était passé alors. Ils n'étaient pas devenus fous, comme des requins qui repèrent une proie. Non, ils s'étaient tous rassemblés autour du morceau de viande, les uns contre les autres, se frôlant et bougeant à peine. Il arrivait que l'un d'entre eux frétille légèrement pendant quelques secondes, et ensuite il rejoignait le groupe pour se frotter de nouveau aux autres. On ne pouvait pas vraiment les voir manger parce que leurs bouches étaient trop petites.

Les élèves rassemblés devant le mur me faisaient penser aux têtards. Ils se pressaient tous vers l'avant. Certains frétillaient, mais la plupart était passivement attentifs et concentrés sur ce qui se passait devant eux.

J'étais avec un garçon prénommé Emmery. Ce n'était pas vraiment un ami, même si on rentrait parfois à pied ensemble parce qu'on habitait dans la même rue.

Emmery était un peu bête, mais sympa quand même. Il fallait qu'il demande à quelqu'un de lui nouer sa cravate après le cours de sport, et il mettait des chaussures sans lacets pour éviter d'avoir à les faire.

– Il se passe quelque chose, a-t-il remarqué.

– On dirait bien. Je crois que j'ai vu quelqu'un tagger le mur tout à l'heure.

– Un élève ?

– Oui, mais pas de chez nous. Enfin, je ne pense pas.

– Un autre machin ?

Emmery a ri, un rire moite et un peu hystérique. Il pensait très certainement à l'énorme dessin cochon qui était apparu l'année dernière. On en avait parlé pendant des mois.

– Chais pas.

Nous avons rejoint la foule.

– Qu'est-ce que ça dit ?

Emmery savait à peine lire. De toute façon, c'était trop mal écrit pour lui.

Le message parlait de Roth.

Il était très méchant.

Il racontait des choses sur lui – ce qu'il aimait faire, ce qu'il aimait qu'on lui fasse. J'avais envie de rire et je n'étais pas le seul. Un sentiment de joie réprimée parcourait la foule. Mais Roth se tenait devant le mur et sa présence nous incitait à rester prudents.

Il observait les mots. Je pouvais voir la moitié de son visage. Sa mâchoire se serrait et se relâchait, encore et encore. Rien d'autre n'était perceptible. Miller et Bates étaient avec lui. Ils paraissaient nerveux et regardaient tour à tour Roth, le mur et les jeunes autour. Je n'avais pas la moindre idée de comment tout cela allait se finir. D'une certaine manière, je ne voulais pas que ça se finisse. Enfin il se passait un truc bien dans cette école pourrie.

Un gamin s'est frayé un chemin jusqu'au mur. Il jouait des coudes pour avancer et soulevait une vague de protestations autour de lui. C'était le merdeux qui était venu me réclamer le ballon quelques jours avant. Remuant légèrement les lèvres, il a lu en silence ce qui était écrit sur le mur. Il a esquissé un sourire. Il a souri. Puis son visage s'est illuminé dans un immense sourire radieux. Il a ri et son rire ressemblait à une cascade écumante et pleine de bulles.

Soit il n'avait pas vu Roth, soit il ne le connaissait pas. Tout comme avec les Zarbis, Roth ne perdait pas de temps avec les plus jeunes. Il est possible que le garçon n'ait pas fait le lien entre le nom sur le mur et le monstre bouillonnant à côté de lui.

Énorme erreur.

La suite était assez prévisible. Ce premier rire a agi comme un déclencheur sur le groupe. Quelqu'un a bafouillé puis, dans un immense élan, nous avons tous hurlé de rire comme une bande de babouins, vivant cet instant comme un moment de liberté et de soulagement. Je ne sais pas si je vous ai bien fait comprendre à quel point notre école était un endroit triste. On avait toujours l'impression qu'une ceinture nous comprimait le torse et qu'un poids nous obligeait à pencher la tête en avant, les yeux fixés sur le sol. Mais voilà qu'en une seconde, ces deux poids ont disparu. Nos âmes se sont élevées sur ces nuages de rire. Je riais si fort que des larmes coulaient le long de mes joues. Je sais que « rire à en pleurer » est une expression mais là c'était vrai, et j'essuyais mes larmes sur les manches de mon pull. Pour une fois nous étions unis. On se sentait bien et on se sentait fort. Roth paraissait plus petit que nous. Il n'était plus ce monstre tout droit sorti de nos pires cauchemars. Il n'était qu'une brute et il lui arrivait aussi d'avoir peur.

Ça ne pouvait pas durer.

Roth a mis du temps à réagir mais sa fureur a été telle qu'on aurait dit une bête féroce. Il a pivoté, a attrapé le gamin et l'a soulevé. Il avait une main sur sa gorge et l'autre sur sa nuque. Le garçon, tiré en arrière, étouffait. Il a cessé de rire. Son visage a pris un air étonné et s'est transformé ensuite en une grimace d'agonie. La douleur lui faisait comprendre sa situation. Il paraissait terrorisé par l'incertitude de ce qui allait suivre. Nos rires se sont tus brutalement, comme si on avait appuyé sur un interrupteur. Nous n'étions plus ensemble, de nouveau seul.

– C'est drôle, hein ? Ouais, vachement drôle.

Roth parlait calmement mais tout le monde pouvait l'entendre. Le garçon a émis un gargouillement, pareil au bruit que fait celui qui meurt dans les mauvais films.

– Le problème, c'est ce bordel. C'est moche. Faudrait le nettoyer. Tu me donnes un coup de main, hein ? Ouais ?

Ce qu'il a fait ensuite était grotesque même selon ses propres critères. Il a pris la tête de sa victime et l'a fait bouger de haut en bas, pour lui faire dire oui. On voit parfois les enfants faire pareil avec leurs poupées ou leurs peluches. Le visage du gamin était rigide et pétri d'horreur.

– Ça, c'est un bon garçon.

Toujours avec le même mouvement, Roth est allé coller la tête du petit contre la brique rugueuse du mur.

– Allez, si on nettoyait, ouais, hein ?

Le gamin a gémi, et ses lamentations étaient la chose la plus horrible que j'avais jamais entendue. Ses jambes se sont mises à fendre l'air, comme les jambes d'un pendu. J'aurais voulu intervenir mais, tout comme le reste de la foule, j'étais paralysé par cette démonstration de cruauté. Ce n'était pas tant la peur du mal qui me retenait. C'était la vision de ce spectacle qui ressemblait à un cirque diabolique.

– Tu ne vas pas y arriver.

Shane.

Comme d'habitude, il arrivait par magie.

Tenant toujours le gamin, Roth a lentement dirigé son regard noir sur Shane.

– Quoi ?

Combien de haine peut-on mettre dans un seul mot ? Non, ce n'était pas vraiment de la haine. Il s'agissait de quelque chose au-delà de la haine, parce que la haine peut disparaître, s'épuiser ou se perdre avec le temps. Là, c'était plus ancien, immortel. Une bouche qui jaillit des profondeurs pour te dévorer, la bouche qui te dévore depuis des centaines de millions d'années, la bouche qui ne cessera jamais de te dévorer.

– Ce sera toujours là, a poursuivi Shane. Pire que ça. Tout ce que tu vas réussir à faire c'est attirer l'attention sur ce mur. Les gens le montreront du doigt, diront que c'est là où tu as fracassé un gamin.

La voix était tranquille, légère ; sérieuse mais amusée. Chaque mot parfaitement formé. J'aurais bien aimé que ce soit ma voix. Mais la mienne traînait, trébuchait et s'emmêlait. Les mots de Shane étaient comme des cailloux qu'il aurait trouvés sur la plage, beaux et brillants. Il lui suffisait de les ramasser.

Ensuite, il y a eu un mouvement et Shane est venu s'écraser contre le mur. Bates l'avait poussé. Miller a ri, toujours ce même rire sonore, avec pourtant moins de conviction. C'était un rire merdique, lâche, à contretemps.

– Ouais, très courageux, a déclaré Shane, un léger sourire sur le visage.

J'ai remarqué alors qu'il tenait quelque chose à la main.

– Mais bon, ça ne résout pas ton problème, n'est-ce pas ? a-t-il demandé à Roth.

Roth le dévisageait. Le gamin pendait toujours au bout de son bras comme un lapin.

– Mais moi, je peux t'aider.

– Quoi ?

C'était un « quoi » différent. Étonné, à présent, intéressé.

– Tu permets ? a demandé Shane en montrant ce qu'il avait à la main.

C'était une bombe de peinture.

Roth a grogné.

Shane s'est avancé devant les mots inscrits sur le mur. Les lettres étaient bien séparées les unes des autres et avaient des formes simples.

Il s'est mis à peindre.

Roth a grogné de nouveau.

Quelqu'un dans la foule a ri. Un rire différent, cette fois-ci, qui n'avait rien à voir avec le relâchement hystérique de tout à l'heure. C'était un rire de satisfaction, encore une fois, on les avait bien eus. Eux, les profs. Le rire s'est généralisé.

Shane avait tout simplement transformé Roth en Rothman. Rothman enseignait l'histoire. Personne ne se souciait de monsieur Rothman. Il avait une voix aiguë et tremblotante, et il proférait beaucoup de menaces qu'il ne mettait jamais à exécution. Les élèves n'éprouvaient que du mépris pour Rothman. Son nom avait remplacé celui de Roth. À présent, c'était monsieur Rothman, professeur de lycée, qui faisait ces choses-là, et qui aimait qu'on les lui fasse.

Shane avait fait du bon travail. Son écriture collait parfaitement avec l'ancienne. Savoir qu'à l'origine, il s'agissait de Roth n'avait pas d'importance. Désormais, il y avait écrit Rothman.

Roth a relâché le gamin. Il a détalé à quatre pattes, trop effrayé pour se mettre debout. Pendant tout ce temps, les yeux de Roth n'ont jamais quitté ceux de Shane. Il a hoché la tête. Shane a croisé son regard et a hoché la tête à son tour.

Les gens sont partis. Au départ, ils semblaient réticents, ils avaient peur de rater quelque chose. Mais, très vite, il n'est plus resté que Shane, moi et le gamin, recroquevillé contre le mur. Je ne savais pas où étaient les autres Zarbis.

Shane a pris l'enfant par la main, l'a gentiment mis debout.

– Ça va ? Comment tu t'appelles ?

– Skinner.

– Non, pas ton nom de famille. Ton prénom ?

– Kevin.

– Eh bien Kevin, tu as eu du bol.

Le garçon a redressé la tête et a regardé Shane. Ses yeux brillaient. Ses lèvres formaient des mots que je n'ai pas entendus. Je n'ai pas su s'il le remerciait ou s'il l'insultait ; parfois, on déteste les gens qui nous ont aidés. Quoi qu'il en soit, le gamin est parti en courant pour aller se perdre dans les rues bordées de maisons en brique rouge.

17

Quand je me suis tourné vers Shane, il avait l'air mort. Il ressemblait à une créature marine échouée sur le sable.

– Tu veux venir chez moi ? a-t-il demandé.

Sa voix résonnait comme s'il était dans une autre pièce d'une grande maison.

Nous y sommes allés à pied, parlant à peine, mais nos épaules s'effleuraient et nos pas s'accordaient. À l'entrée de sa rue, Shane s'est arrêté, et j'ai fait pareil.

– Ce couteau…

Personne n'avait mentionné le couteau depuis que je l'avais fait tomber. J'avais imaginé toutes sortes d'excuses, toutes sortes de raisons. Mais je n'allais pas mentir à présent.

– Roth… Il m'a obligé à le prendre.

– Tu sais que tu ne peux pas traîner avec nous si tu as un couteau. On est contre.

– Je sais. Je ne le voulais pas. Je vais le jeter.

C'était tout. Il suffisait que Shane me dise ce que je devais faire pour que je me sente serein.

Arrivés chez lui, nous sommes allés directement au sous-sol. Stevie était là. J'ai essayé de cacher ma déception.

J'ai regardé Shane, pensant qu'il raconterait l'histoire. Mais il s'est contenté de s'asseoir sans un mot. Alors je me suis lancé. Les mots se déversaient. Je n'ai jamais été un bon orateur pourtant j'avais l'impression d'avoir attendu ce moment toute ma vie. J'ai parlé à Stevie du graffiti, de la foule, et de Roth, le cruel « mangeur d'âmes ». J'ai raconté le gamin, son rire, et l'horreur qui nous a saisis quand nous avons vu Roth l'agiter comme une marionnette puis comme un torchon. Je lui ai expliqué comment Shane lui avait sauvé la vie. Je pense que j'exagérais sans doute un peu mais ça me semblait juste. J'imaginais la tête du gamin, usée comme un moignon après avoir été râclée contre la brique.

Pendant tout ce temps, Shane regardait ses baskets, oscillant parfois la tête, prêt à me contredire mais sans pour autant prononcer un mot. À la fin, il y a eu un silence. J'étais épuisé à force de parler et Stevie était stupéfait.

– Vous voulez jouer ? a demandé Shane dans le vide, désignant sa Xbox.

Nous avons secoué la tête. Nouveau silence.

– Vous voulez fumer ?

Stevie a acquiescé.

– Ouais, bien sûr. C'est le moment ou jamais.

Un bref élan d'excitation m'a parcouru. Je n'avais jamais fumé de ma vie. Surtout à cause de ce gamin qui était mort après avoir respiré des vapeurs d'essence. Je sais que ce n'est pas la même chose, mais ça a un peu calmé mes envies.

Shane s'est penché derrière le vieux fauteuil et en a ressorti une boîte en métal. Dans la boîte, il y avait deux cigarettes, un paquet de Rizla et un sachet transparent contenant de la résine marron.

Shane m'a regardé. Mon visage trahissait-il que tout ceci était nouveau pour moi et que je me sentais dépassé ?

– Elle n'est pas très forte, t'inquiète, a-t-il dit.

– Mais ta mère…

– Elle ne dit rien. Du moment que ça ne va pas plus loin.

Il roulait le joint tout en parlant, déchirant l'une des cigarettes pour récupérer le tabac. Ses doigts tremblaient légèrement.

– Tu veux que je le fasse ? a demandé Stevie, penché au-dessus de lui.

Il était grand même quand il était assis.

– Quoi ? a dit Shane d'une voix sèche et agressive, méconnaissable.

– J'ai juste pensé…

– Ouais, eh ben arrête.

Stevie a baissé les yeux, le visage en feu.

Shane a fini de fabriquer le joint. Il l'a allumé, a inspiré longuement et s'est penché en arrière contre le dossier du fauteuil. Trois grosses bouffées plus tard, il l'a passé à Stevie, lui adressant en même temps un regard qui visait à s'excuser pour les mots durs de tout à l'heure. Shane pouvait faire passer beaucoup de choses par son seul regard.

L'odeur du joint était lourde, sucrée, écœurante. J'ai eu envie de vomir. Stevie a pris une ou deux bouffées et me l'a tendu. J'ai hésité. Je ne voulais pas fumer mais je voulais partager ça avec eux, je voulais être comme eux.

– Tu n'as jamais… ? a demandé Stevie en percevant ma réticence. Tu sais, c'est cool. Tu peux fumer et tu peux ne pas fumer. La règle ici, c'est de ne jamais faire ce que tu n'as pas envie de faire.

C'était le plus long discours que je l'avais entendu prononcer. S'il avait insisté pour que je prenne le joint, j'aurais certainement refusé. Là, il me donnait le choix, ce qui me poussait à essayer. J'ai pris le joint. Je n'avais même jamais fumé de cigarette et je n'avais pas la moindre idée de ce que je devais faire de ma respiration. J'ai aspiré et l'épaisse fumée est venue envahir ma bouche. Elle n'est pas allée plus loin. Je me suis mis à tousser. Mes yeux pleuraient, ma tête tournait.

Et voilà.

Tout à coup, la tension présente dans la pièce – la peur accumulée, l'adrénaline – s'est évaporée. On s'est mis à rire. On se roulait par terre tous les trois, en s'étouffant et en crachant.

Quand on s'est calmé, Shane a rallumé le joint. Lui et Stevie l'ont fumé jusqu'au bout. J'ai pris encore une ou deux bouffées en parvenant à ne pas tousser. Ça suffisait à mon avis.

– C'était la chose la plus courageuse que j'avais jamais vue, ai-je dit à travers le silence. Quand Roth t'a regardé, j'ai cru qu'il allait te tuer. Ce type est une erreur de la nature.

Ça nous a fait rire de plus belle. On a ri pendant pratiquement une heure. Ensuite, j'ai dit qu'il était temps pour moi de rentrer.

– Moi aussi, a annoncé Stevie, et nous sommes partis ensemble.

Alors que je m'apprêtais à sortir, Shane a posé sa main sur mon bras.

– Ce dont on a parlé… Tu as dit que tu t'en débarrasserais ?

– Je le ferai. Je n'en veux pas.

Devant la porte d'entrée, je me suis rendu compte que j'avais oublié mon sac. Je suis redescendu au sous-sol et j'ai ouvert la lourde porte doucement. Le fauteuil tournait le dos à la porte et l'idée de faire peur à Shane en poussant un cri m'a traversé l'esprit.

Il y avait quelque chose de bizarre dans la façon dont Shane était assis. Il fumait l'autre cigarette de la boîte. Pas un joint, seulement une cigarette. Son bras était tendu, blanc dans la lumière lugubre.

Il a sorti la cigarette de sa bouche.

Je pouvais voir le bout incandescent.

Avec la cigarette, il s'est caressé l'avant-bras, du coude jusqu'aux veines bleues du poignet. C'était un mouvement calme, tendre, comme s'il jouait avec un enfant, un chat ou une fille. Ensuite, il a de nouveau porté la cigarette à sa bouche. Il a aspiré et il l'a rapidement écrasée sur son bras. Son geste n'avait plus rien de calme, au contraire. Son corps s'est raidi un instant, puis s'est relâché. Shane s'est tassé au fond du fauteuil et a laissé la cigarette rouler sur la moquette.

Je suis sorti à reculons et j'ai grimpé les marches de l'escalier. Stevie était parti. J'ai couru dans la nuit froide. Au bout d'un moment, j'ai posé mes mains sur un petit mur en brique, et je me suis mis à cracher. Puis j'ai vomi, encore et encore.

Sur le chemin du retour, j'ai pensé jeter le couteau dans le ruisseau. Je l'ai sorti de son étui. J'ai regardé la lame qui étincelait sous les lumières des lampadaires. J'ai senti son poids agréable, son équilibre, son calme. J'ai pensé à Shane, qui se faisait du mal. Et je me suis dit que j'allais le ranger dans un endroit sûr.

Peut-être que ce champ de bataille est une partie d'échec. N'allez pas croire que cela implique une stratégie. Ici, il n'y a pas de stratégie. Il n'y a qu'horreur et confusion. Mais, entre les coups, tout est totalement immobile. Si on devait disparaître, la partie resterait au même point pour l'éternité. Ou, du moins, jusqu'à ce que le plateau et les pièces soient réduits en poussière.

18

Le lendemain matin, tout le monde ne parlait que de ça : la bagarre qui aurait bientôt lieu. Elle serait notre revanche : en pénétrant sur notre territoire, en écrivant sur notre mur, les Templars nous avaient manqué de respect. Personne n'avait mentionné la tête de chien, ou le fait que c'était Roth qui avait lancé les hostilités. De toute façon, rien n'était sensé dans les rumeurs. Certains gamins disaient que la bagarre aurait lieu sur la colline. D'autres disaient devant notre lycée. Tout le monde savait que ça allait être violent. Le bruit courait que Roth avait prévu de découper Goddo en morceaux. Des versions différentes circulaient : les uns disaient qu'il voulait l'éventrer, les autres qu'il comptait le taillader, juste pour lui donner une bonne leçon. Je ne sais pas si Roth était à l'origine de ces rumeurs ou si les gens inventaient tout ça car ils connaissaient la cruauté de Roth.

À la pause, j'ai rejoint les Zarbis. Désormais, je le faisais naturellement, sans y penser. Stevie racontait l'épisode du mur. Il leur parlait de Shane et du gamin, en utilisant mes mots. Cela ne me dérangeait pas. J'étais même content. Mes mots sonnaient bien. Kirk louait bruyamment le courage de Shane, et ce n'était que justice. Il s'est soudain tourné vers moi.

– Et toi tu étais là ?

Son ton était gai, amical. Cela aurait dû éveiller mes soupçons.

– Oui, ai-je dit modestement, pensant que ma présence était un atout. J'avais le statut du témoin privilégié, j'avais été aux premières loges.

– Il a eu de la chance, Shane…

Toujours sans réfléchir et sans percevoir son sarcasme, j'ai répondu : « Oui » de nouveau.

– … que tu sois là pour le soutenir.

J'ai commencé à comprendre.

– De t'avoir à ses côtés.

À présent, je regardais Kirk dans les yeux.

– Et tu as fait quoi, exactement ? Qu'on soit bien sûr d'avoir tous compris.

– Attends… a dit le gros Billy.

– Non, vraiment, ça m'intrigue, a insisté Kirk. Donc, Paul, pendant que Shane venait à la rescousse du petit, tu faisais quoi, exactement ?

– Ce n'est pas ça, c'était…

Ensuite j'ai vu Maddy. Elle m'observait. Elle était jolie. Elle n'avait toujours pas bien cerné le style des Zarbis, mais elle portait une tenue qui lui allait bien. Ses cheveux étaient attachés en arrière. Et son cou… Je ne sais pas. Son cou avait quelque chose de particulier qui m'attirait. Je voudrais dire qu'il était comme celui d'un cygne, mais ce n'est pas vraiment ça. Ce sont les mots qui me viennent à l'esprit parce que c'est ce qu'on dit en général d'un cou que l'on trouve beau, qu'il ressemble à celui d'un cygne. Mais un être humain avec un cou de cygne serait monstrueux. Ce que j'aimais dans le cou de Maddy, c'était que la courbe qu'il dessinait semblait faite pour qu'une joue s'y niche. Et mon esprit était déjà là, reposant au creux de son cou, ma peau sur sa peau.

– Tu ne l'as pas aidé ?

Maddy. Aïe !

– Oui… Non… Il y avait des élèves partout… Je ne pouvais pas…

– Si Paul n'avait pas été là, ils m'auraient foutu une putain de raclée.

Shane. Absent et soudain présent. Ce n'était pas dans son habitude d'être grossier, ce qui rendait ses paroles d'autant plus mordantes.

Kirk s'est tourné vers lui, le visage incertain, les yeux mobiles, troublé. Il semblait pourtant réticent à l'idée de laisser tomber.

– Ce n'est pas ce que Stevie a dit. D'après lui, Paul est resté debout sans rien faire, comme un idiot.

J'ai senti que les Zarbis retenaient leur respiration.

– Je n'ai jamais dit idiot, est intervenu Stevie.

– C'est ce que tu as voulu dire, a dit Kirk, un peu plus sûr de lui à présent. Enfin, au final, c'est ça qu'on a compris.

– Stevie, a dit Shane, qui t'a raconté ce qui s'est passé ?

Stevie a semblé perplexe pendant un instant, puis il a souri.

– Paul. Je n'ai fait que répéter ce qu'il m'a dit.

– Et tu as déjà entendu Paul se vanter de quoi que ce soit ?

Shane a commencé par regarder Stevie. Ensuite, son regard s'est déporté sur Kirk, et sur le groupe en général.

– Il ne parle jamais de lui, a déclaré Billy en souriant. C'est un gars modeste.

– Je vous le dis à tous maintenant. Sans Paul pour surveiller mes arrières, j'aurais eu des ennuis.

Maddy m'a souri légèrement. J'aurais pu embrasser Shane. Ou Maddy. Ou les deux. C'était comme dans un rêve. On faisait mes louanges à la fois pour mon courage et pour ma modestie.

Plus j'avais l'air héroïque et plus Kirk avait l'air stupide. Ne voulant pas en rester là, il a changé de sujet.

– Vous savez tous qu'il va y avoir une énorme bagarre, n'est-ce pas ?

Ouais, on savait.

– Vous avez entendu la dernière ?

– Dis-nous, a dit Stevie, impassible.

– C'est demain. Ils vont se battre ici, sur le champ des gitans.

– On dirait que tu as hâte, a dit Shane.

– Possible. Deux groupes de débiles vont se tabasser et se réduire en miettes. En quoi ce ne serait pas une bonne chose ?

– Et si quelqu'un se fait mal ? ai-je demandé.

– Ce sont tous des idiots. Qu'est-ce que ça peut faire ?

– Et si est quelqu'un est gravement blessé ? Et si quelqu'un doit aller à l'hôpital ? ai-je insisté.

Kirk a ri. Je crois que d'autres ont ri avec lui. J'ai compris qu'ils me prenaient pour un mec coincé. Depuis le temps, j'aurais dû savoir. Au lycée, le plus ridicule est toujours le plus sérieux.

– Écoute-moi bien, a dit Kirk. Je m'en fiche. Leurs tarés ou nos tarés, ça n'a aucune importance.

– Et si quelqu'un est tué ?

– Hôpital ou morgue, j'en ai rien à faire. Ça fait un cinglé de moins.

Juste avant que la pause soit terminée, le groupe s'est séparé, chacun est parti de son côté. Je me suis retrouvé seul avec Maddy.

C'était ce que je voulais.

Et ce que je redoutais.

À dire vrai, je n'avais jamais réellement parlé à une fille auparavant. À part quand j'étais petit et que je tirais les cheveux des filles en les traitant de tous les noms. Mais là, c'était bien sûr différent. Mon esprit s'est vidé. Non, pas vidé. Au contraire, il était plein, de mots, d'idées. Mais je n'arrivais pas à y attraper quoi que ce soit. Au final, ça revenait au même.

Silence.

Maddy est venue à mon secours.

– Sirk est un kalaud.

Il y a eu une légère pause pendant que ses mots pénétraient l'atmosphère.

On a éclaté de rire. Un rire de soulagement bruyant. Peut-être un peu trop bruyant.

– Kirk est un salaud, je veux dire.

– Ouais, ai-je répondu, souriant toujours. Comment vous faites pour le supporter ?

– Nous ne sommes pas comme ça. Ils n'excluent personne.

C'était marrant la façon dont elle était passée de « nous » à « ils ». C'était facile à décoder. *Il suffit de nous regarder, toi et moi*, disait-elle. *S'il y avait vraiment des processus d'exclusion, tu ne penses pas qu'on serait les premiers sur la liste ?*

– Shane est génial, pourtant, non ? ai-je repris, suivant le fil étrange de mes pensées.

Le visage de Maddy s'est illuminé.

– Ouais. Et tu étais là quand il a aidé le gamin. Heureusement que c'était toi. Je ne pense pas que les autres auraient été suffisamment courageux pour le soutenir. Pas Kirk, en tout cas. Stevie aurait essayé mais bon…

– Ouais, on dirait qu'il suffit de lui souffler dessus pour le briser en deux.

Maddy a ri gaiement.

– Dis, est-ce que tu voudrais qu'on passe un peu de temps ensemble ? ai-je demandé.

– On passe tous les jours du temps ensemble.

Son visage, son ton étaient difficiles à interpréter. Maddy semblait amicale, souriant à moitié. Mais était-elle en train de me dire non, ou bien se moquait-elle de moi en me poussant à aller plus loin ? Si elle n'avait pas dit ces choses gentilles à propos de mon courage, j'aurais laissé tomber. Mais j'étais courageux : après tout, j'avais soutenu Shane dans un moment difficile.

– Non, je veux dire, est-ce que tu aimerais qu'on aille voir un film ou quelque chose comme ça ? Tu sais, toi et moi. Ensemble.

Bordel, ce que j'étais nul !

J'ai vu que les yeux de Maddy avaient dérivé et qu'elle regardait par-dessus mon épaule. Je me suis retourné. Shane attendait près de la grille de l'entrée.

– Oh mince, a-t-elle dit. Regarde, Shane nous attend pour le cours de chimie. Nous allons être en retard.

– Ce soir ? ai-je lancé rapidement, agrippant l'air, espérant, doutant.

– Ce soir ? Oui, OK, d'accord.

Elle avait dit oui. Sans aucun doute. Des ailes. Je volais.

– Rendez-vous au multiplex. À vingt heures. On peut aller voir n'importe quel film, celui que tu voudras.

– N'importe, oui.

Maddy était pressée d'aller en cours. Normal, Maddy était une bûcheuse.

Son visage s'est empli d'un sourire et elle a couru vers Shane, et vers le cours de chimie.

19

Je m'apprêtais à entrer dans le bâtiment quand une main m'a agrippé le bras, me pinçant la peau. J'ai crié, ce qui était idiot. L'une des premières choses qu'on apprend au contact des brutes, c'est à dissimuler sa douleur. Parce que la douleur, c'est ce qu'elles aiment. Ça les excite autant que l'odeur du sang. Mais j'avais crié plus par surprise que par douleur, parce qu'il est impossible de se protéger contre l'effet de surprise. Comme s'ils cherchaient à me répondre, Miller et Bates ont ri. Roth se tenait derrière ses hyènes, ses yeux noirs brillants dans la pénombre.

Bates m'a poussé vers son maître, triturant et tordant en même temps la peau tendre sous mon bras.

– Paul, Paul, a dit Roth, d'une voix douce et grave, faisant semblant d'être blessé. Tu m'évites.

Il s'est avancé, a ouvert ses bras comme un prêtre pendant son sermon.

– Je croyais qu'on était pote, qu'on allait passer du temps ensemble. Je pensais qu'on irait au parc, qu'on jouerait au frisbee, qu'on se raconterait des blagues, qu'on s'amuserait quoi !

J'ai failli rire en pensant à Roth avec un frisbee. Autant imaginer Gengis Khan avec un yoyo.

– Il a de nouveaux amis maintenant, a dit Miller en riant. Il n'en peut plus de ces Zarbis. Il doit être amoureux.

– De qui, à ton avis ? a demandé Bates, qui voulait participer. Celui qui est tout maigre ? Ou l'autre, celui qui leur sert de chef ?

– Tais-toi, ai-je lancé.

Ça les a fait rire, même Roth qui riait tous les trente-six du mois.

– Ooh ! a dit Miller, regardez la demoiselle. Je crois qu'on a trouvé !

– Non, allons, ne soyons pas méchants, a déclaré Roth, passant son bras autour de mes épaules comme il avait l'habitude de faire, d'une façon lourde et menaçante. En ce moment, il faut qu'on se serre les coudes. Tu sais pourquoi, hein ?

– La bagarre.

– La bagarre, la bagarre. À t'entendre, on dirait qu'il s'agit de deux pouffiasses de septième année qui se chamaillent derrière les abris à vélos. Ce n'est pas une bagarre, c'est une guerre. Nous contre eux. Et tu sais qui ils sont, hein ?

J'ai hoché la tête. Les élèves de Temple Moore, ces gars violents qui habitaient en haut de la rue.

– Des barbares. C'est ça. Tu es un mec intelligent, n'est-ce pas, hein, ouais ? Tu écoutes pendant les cours d'histoire. Tu as entendu parler des Spartiates, non ?

Roth ne me regardait pas. Il contemplait autre chose, à des milliers d'années et à des milliers de kilomètres d'ici.

– Tu sais qu'ils se tenaient ensemble, bouclier contre bouclier, pendant que les Perses venaient les percuter comme les vagues sur un rocher ?

C'était une autre facette de Roth. Il pouvait sortir des trucs insoupçonnables. Jamais on n'aurait pu penser qu'il possédait ce genre de connaissances. Peut-être que si les choses avaient été différentes pour lui, s'il avait été élevé ailleurs, dans une autre famille, il aurait réussi sa vie, accompli quelque chose.

– Nous, on est les Spartiates. Les Templars sont les barbares. Pour battre les barbares, les hommes blancs se serrent les coudes et empêchent leur mur de boucliers de s'effondrer. Tu comprends ?

J'ai acquiescé. Je ne pouvais pas faire grand-chose d'autre. Mais j'ai aussi jeté un coup d'œil rapide sur Miller, un homme noir, pas un homme blanc. Il m'a semblé apercevoir quelque chose sous ce visage poltron et perdu.

Roth a saisi mon regard mais n'a pas vu l'expression de Miller.

– Ne t'inquiète pas pour lui, a-t-il dit, et je n'étais pas sûr de savoir à qui il parlait. Pensait-il à voix haute ?

– Miller est un gars bien. Miller fait partie de notre équipe. On t'a civilisé, hein, ouais ?

Miller n'a pas répondu tout de suite. Puis il a grogné et j'imagine que cela voulait dire oui.

Roth a de nouveau porté toute son attention sur moi.

– Tu l'as toujours ?

Évidemment, je savais de quoi il voulait parler.

– Oui.

– Tu l'as ici ?

J'ai secoué la tête. J'avais caché le couteau.

– Parfait. Je savais que tu étais malin. Un idiot l'aurait gardé sur lui comme un téléphone portable. Pas toi. Pourtant, c'est agréable, non ? De l'avoir, de le toucher.

Je repensais au couteau, je pouvais le sentir dans mes mains.

– Oui, c'est… agréable.

Bates a émis un sifflement. Un soupir, je crois.

– Demain ? Tu l'apporteras demain ?

Je voulais lui dire non ; lui expliquer que je ne voulais pas participer à cette bagarre débile. Mais le mieux, c'était de se taire.

– Je pense bien qu'il a la frousse, s'est moqué Bates.

– Nan, pas mon pote Paul. C'est un bon gars.

Roth m'a serré davantage contre lui, m'écrasant de son gros bras.

– Quand il entendra ce qu'ils se disent sur lui, eh bien, il aura envie de se battre, hein ?

Je ne comprenais rien.

– De quoi tu parles ? Qu'est-ce qu'ils ont dit ?

– C'est pas grave, nous on sait que rien n'est vrai. On sait que ce sont des barbares menteurs, des singes, des gorilles, hein ?

– Qu'est-ce qu'ils ont dit ?

– Oublie.

– Dis-moi !

– Ils ont raconté que ça t'avait plu d'embrasser le chien. Que tu aimais bien faire ce genre de choses.

Puis il m'a parlé d'autres choses, semblables à celles qui avaient été écrites sur le mur.

– Mais là où je veux en venir, a-t-il continué de sa voix grave et raisonnable, comme si on était en train de discuter du programme télé, c'est que ce genre de chose se sait. Et du moment que ça circule, les gens y croient. Personne ne peut faire la différence entre les deux. Et quand on ne peut pas faire la différence entre la vérité et le mensonge, eh ben, tu sais quoi, il n'y a plus de différence. La vérité, c'est ce que les gens croient. Après, c'est à toi de prouver à tous le contraire. Si tu te bats demain, que vont penser les gens ? Pas que tu es celui qui aime embrasser les chiens. Non, ils vont penser que tu es un héros. Ils vont se souvenir de toi pendant longtemps.

Je ne me sentais pas bien. Pour moi, il y avait une différence entre mensonge et vérité. Mais Roth avait raison. Parfois, la vérité ne peut pas protéger du mensonge ; parfois le mensonge est plus fort que la vérité.

Je n'avais pas envie de me battre pour autant.

– Je me fiche de ce que les gens vont penser de moi.

Le visage de Roth s'est lentement transformé. Jusque-là, il avait donné le change et pris des airs d'être humain civilisé. Mais à présent, son visage s'affaissait et perdait toute expression. L'annonce que j'allais avoir de sérieux ennuis.

– Il se fiche de ce que les gens pensent de lui, a-t-il répété, d'une voix d'outre-tombe.

Puis tout s'est passé très vite.

Il m'a plaqué contre le mur et sa main a écrasé mon visage.

– Mais que dire de son père, hein ? a demandé Roth. Ouais, son père.

Je pouvais sentir son souffle sur mon visage, qui n'avait curieusement aucune odeur.

– Il paraît qu'après toutes ces années, il est toujours en train de se vanter de ses exploits pendant la bagarre contre Temple Moore ? Il paraît qu'il se prend pour un héros ? Eh ben, tu sais quoi ? J'ai entendu d'autres choses. J'ai entendu dire qu'il s'était chié dessus, qu'il s'était conduit comme un lâche. T'es un lâche, toi aussi, Varderman ? En voilà une autre bonne histoire à faire circuler, hein ? Que ton père s'est chié dessus.

J'ai lutté contre la main appuyée sur mon visage, contre le poids de Roth m'écrasant contre le mur. J'ai résisté autant que possible, mais j'étais pareil à ces corps mous tressaillant sous les chenilles d'un tank. Roth a ri.

– Ah, c'est bien mieux comme ça, a-t-il déclaré. Un peu de résistance en toi, hein ? Bien, très bien. On s'en fiche que ton père ait été une poule mouillée. Tu peux rectifier ça. Tu peux être celui dans la famille qui a de l'audace. C'est ça, hein, ouais ?

Roth a mis sa main à l'intérieur de mon blazer et a commencé à me peloter. Sa main est descendue vers mon pantalon, puis est remontée. Enfin, il a dit :

– Tu es sûr que tu ne l'as pas sur toi, ma chérie ?

– Je te l'ai dit, je ne l'ai pas avec moi, ai-je répondu, me tortillant sous son emprise.

– Ouais, eh ben, c'est super, super. Mais souviens-toi, ce couteau est ton ami. Et tu n'en as pas beaucoup, hein ?

– Il y a les autres débiles, a dit Bates.

– Ce ne sont pas vraiment tes amis, tu sais, Paul. Ils ne se soucient pas de toi. Tu n'es pas comme eux. Quand ce sera nécessaire, ils ne seront pas là pour couvrir tes arrières. Ils te laisseront dans la merde.

J'aurais dû les défendre, mais c'était plus facile de ne rien dire.

– Mais demain, tu l'apportes ?

– Le couteau ?

– Oui, le couteau. Tu l'apportes. Tu t'en sers. Tu changes tout.

J'ai fait signe que oui de la tête tandis que mon cœur disait non.

20

J'ai ouvert la porte d'entrée. La télé était allumée dans le salon, mais il n'y avait personne. Un jour, j'ai demandé à ma mère pourquoi elle laissait tout le temps la télé allumée, même quand elle ne la regardait pas. Elle m'a répondu que ça lui plaisait, que ça lui faisait une présence. Je l'ai éteinte et je suis monté dans ma chambre. Je n'avais parlé à personne durant le reste de la journée. Pendant l'heure du déjeuner, j'étais allé à la bibliothèque, je m'étais assis dans un coin et j'avais ouvert un livre. Je ne sais pas de quoi parlait le livre. Je n'ai pas essayé de le lire. Je voulais juste réfléchir tranquillement. Pourquoi les gars de Temple Moore avaient-ils dit ces choses cruelles sur moi ? Mon père était-il un lâche ? M'avait-il menti ?

En fait, je n'ai pas vraiment pensé à tout ça, c'était simplement là, dans ma tête, comme une tumeur au cerveau. Et on ne peut pas guérir d'une tumeur juste en y pensant. *Eh, tumeur au cerveau, j'ai décidé que finalement je ne voulais pas de toi, alors pourquoi est-ce que tu ne t'en irais pas, maintenant ? Ah, tu veux bien ? Au revoir alors. Ouais, salut !*

J'ai observé ma chambre. Depuis que j'avais fait la connaissance de Shane et de sa bande, j'avais tout le temps l'impression d'être en décalage. Tout me paraissait de travers, raté. J'avais le sentiment que rien n'allait, ni mes habits, ni mes cheveux, ni mes affaires. Je détestais soudain ma chambre. Les murs étaient quelconque d'une couleur indéfinissable : pas gris, plutôt grisâtre, avec un peu de jaune et de rose. Les rideaux étaient bleus, avec des rayures noires. Il y avait une commode plus âgée que moi, mais pas assez vieille pour être intéressante. Et aussi une armoire avec un miroir à l'intérieur. Il fallait ouvrir la porte pour se voir et je trouvais ça stupide.

J'ai ouvert la porte et je me suis regardé. Je n'ai pas aimé ce que j'ai vu. Je n'étais pas laid. Je n'étais pas beau. Je n'étais rien. Mes cheveux étaient comme les murs de ma chambre, sans véritable couleur. On aurait dit que mon visage n'était pas tout à fait terminé, comme celui d'un bébé. Je l'ai serré entre mes mains, comme avait fait Roth. J'aurais aimé me faire du mal, j'aurais aimé en faire jaillir les pensées.

Mais tout à coup, je me suis souvenu. À cet instant, les paroles de Roth et la lâcheté de mon père, qui s'était chié dessus quand il aurait dû se battre, ont été balayées comme les feuilles lors d'une tempête d'automne.

Maddy.

J'allais au cinéma avec Maddy.

Soudain, j'étais heureux. Et nerveux aussi. Je me suis examiné de nouveau dans le miroir et j'ai pensé que peut-être je n'étais pas si mal.

J'ai enlevé mon uniforme scolaire. Je possédais un jean pas trop moche – rien de bien génial mais rien de misérable non plus. J'avais une chemise que j'aimais bien. En fait, c'était une vieille chemise de mon père. Elle était de couleur crème et toute douce car le coton épais était devenu lisse avec le temps. Il fallait la passer par-dessus la tête car les boutons ne descendaient pas jusqu'en bas. Elle était peut-être un peu ringarde, pourtant moi je la trouvais indémodable. Un jean, une chemise, des baskets. Les baskets n'étaient pas mal aussi, une simple paire d'Adidas noires et blanches. On ne les remarquait pas, en bien comme en mal.

En me lavant les dents et le visage, j'ai mis de l'eau sur le devant de ma chemise et du dentifrice sur mon jean. J'aurais dû me laver avant de m'habiller et je me suis senti bête de ne pas y avoir pensé. Mais l'idée de voir Maddy me rendait fébrile d'appréhension.

Pendant que je me préparais, j'ai pris la décision de ne pas participer à la bagarre du lendemain. Je n'avais rien à faire avec Roth et ses brutes. Qu'ils se battent entre eux. Je me fichais de ce qu'avaient dit les jeunes de Temple Moore. Ça m'était égal de savoir exactement quel rôle avait joué mon père dans une bagarre qui avait eu lieu il y a tant d'années. Tout ça me paraissait dérisoire par rapport à ma soirée avec Maddy.

Des voix et une odeur de nourriture sont montées jusqu'à moi depuis la cuisine. Je n'avais pas entendu mes parents rentrer. Je suis descendu.

– On a du poisson et des frites, a annoncé mon père.

Je ne voulais pas retrouver Maddy puant la friture. De toute manière, je n'avais pas faim.

– Je sors.

– Mange quelque chose avant, a proposé ma mère.

Elle fumait tout en déballant le poisson translucide aux reflets luisants de gras.

Papa était assis à la table de la cuisine. Il avait déjà commencé à manger ses frites. Il en a ramassé quelques-unes restées collées sur l'emballage.

– Papa ?

– Oui, fiston ? a-t-il demandé sans lever la tête.

La partie chauve de son crâne était tournée vers moi. Elle aussi luisait, comme s'il l'avait frottée avec l'emballage des frites.

J'étais content que Maddy et les autres ne soient pas là pour voir ça. Depuis que je fréquentais les Zarbis, j'avais honte de mes parents, de ma maison, de la façon dont nous vivions. Tandis que je regardais le crâne brillant de mon père, étrangement doux, vulnérable, dont la peau rose était maculée de taches de rousseur marron, un sentiment de culpabilité m'a submergé. Il n'y avait pas de honte à avoir. Mon père et ma mère avaient travaillé dur toute leur vie. Quand ils ne travaillaient pas, ils étaient fatigués et, pour se détendre, ils aimaient s'asseoir devant la télé en mangeant du poisson et des frites. Ce n'était pas un crime s'ils n'aimaient pas l'opéra ou s'ils ne parlaient pas de politique.

Tout à coup, mon père s'est redressé, le visage perplexe et troublé.

– Qu'est-ce qu'il y a, Paul ? On dirait que tu as perdu un penny et trouvé une livre.

– C'est le contraire, chéri, l'a corrigé ma mère.

– Ah oui, perdu une livre et trouvé un penny.

J'ai laissé filer l'occasion de lui parler. Ils étaient de nouveau concentrés sur leur poisson et leurs frites, leurs tranches de pain et leur margarine, sur leur tasse de thé sucré. Je les ai laissés là pour aller retrouver Maddy au cinéma.

❧

Autre chose me fait dire que cette scène ressemble à une partie d'échecs. Aux échecs, il existe un mot que je trouve particulièrement fascinant. *Zugzwang*. Il désigne un instant dans la partie, en général vers la fin, où on est en sécurité du moment que l'on ne déplace aucun pion. Mais c'est à notre tour de jouer. Et si on bouge un pion, on perd.

Zugzwang.
Zugzwang.
Zugzwang.
Zugzwang.
Zugzwang.

21

Pour aller en ville, j'ai pris le bus. Il faisait sombre et les lampadaires étaient allumés. C'était beau. Tout était brillant. Je n'arrivais pas à comprendre pourquoi, jusqu'à ce que je me rende compte que c'était à cause de la petite bruine qui tombait. Même les voitures sur la route semblaient me sourire.

J'ai pensé à ce que je pourrais dire à Maddy. Elle aimait les livres. Quand j'étais plus jeune, je lisais des livres – les romans policiers du Club des cinq et les aventures du pilote de l'air Biggles. Mais j'ai arrêté. Je ne sais pas pourquoi. En cours d'anglais, on a lu un livre intitulé *Kes*, sur un garçon qui a apprivoisé un faucon crécerelle. Pas très gai comme histoire : les personnages vivent dans la pauvreté, le héros se fait taper dessus et punir par les professeurs pour un délit qu'il n'a pas commis, sa mère est sale… La seule chose bien dans sa vie, c'est sa crécerelle. Mais son frère finit par la tuer. J'ai beaucoup aimé le livre, mais je n'étais pas sûr que ça impressionnerait Maddy. En plus d'être un livre imposé par les profs, c'était le livre donné en lecture dans la classe des débiles parce que c'était court. Maddy aimait probablement Shakespeare. Il valait peut-être mieux que j'évite de parler de bouquins.

Un truc que j'avais lu dans un magazine en attendant chez le dentiste m'est revenu. L'article disait qu'on complimente toujours les filles intelligentes à propos de leur intelligence et les jolies filles à propos de leur beauté. Pour les impressionner et mettre toutes les chances de son côté, le mieux est donc de dire aux jolies filles qu'elles sont intelligentes et aux intellos qu'elles sont jolies. Elles ne s'y attendent pas et ont l'impression d'avoir trouvé un garçon qui les comprend vraiment.

Moi, j'aimais bien l'allure de Maddy mais je savais que la plupart des gens ne la trouvait pas jolie. En revanche, elle en avait dans le crâne. Conclusion, il fallait que je lui dise à quel point elle était belle. J'ai pensé à différentes manières de le lui dire. Je pouvais lui parler de ses cheveux et de ses yeux ou de la façon charmante dont elle bougeait son corps. Mais je devais faire attention à ce qu'elle ne le prenne pas mal et qu'elle ne croie pas que j'avais uniquement envie de la toucher.

Il fallait marcher dix minutes de l'arrêt de bus au cinéma. J'étais en avance alors j'ai traîné, observant les vitrines des magasins. La pluie flottait toujours dans l'air, les gouttes étaient si minuscules que c'était comme de la brume froide. J'adorais la sensation que ça me procurait. En plus, j'ai toujours pensé que mes cheveux avaient meilleure allure quand ils étaient mouillés par la pluie.

Je suis entré dans un grand magasin de la rue principale, qui était ouvert tard le jeudi. Une femme, si parfaite qu'elle aurait pu sortir tout droit d'un magazine, m'a souri et m'a demandé si je voulais essayer un après-rasage. Elle devait s'ennuyer. J'ai rougi et je l'ai laissée m'asperger de lotion. J'ai bien aimé le parfum de citron mélangé à des fleurs. Ça me plaisait de sentir si bon. J'étais bien. Ça ne me dérangeait pas d'être suivi par trois vigiles.

Je suis tombé sur un endroit où on vendait de merveilleux chocolats. On pouvait choisir ceux qu'on voulait. Ensuite, les vendeuses les mettaient dans une boîte et faisaient un paquet. J'ai compté mon argent. J'avais presque quarante livres. C'était la totalité de mon argent de poche, que je cachais dans mon tiroir à chaussettes. Les billets pour le cinéma coûtaient six livres chacun. J'ai décidé de dépenser dix livres en chocolat pour Maddy, ce qui me laissait dix-huit livres en cas d'urgence. Une charmante vendeuse m'a aidé à choisir. Quand elle m'a demandé s'ils étaient pour ma maman, j'ai dit « non », en riant. À mon visage tout rouge elle a souri. Je crois qu'elle s'est vraiment appliquée pour faire le paquet. Elle a mis la boîte dans du plastique transparent et l'a emballée ensuite dans un papier rose épais. Puis elle a fermé le paquet avec un ruban et elle a fait un nœud. Enfin, elle a placé le tout dans un sac en papier dont les anses étaient faites avec de la paille tressée. À mes yeux, c'était la plus belle chose au monde et tant pis s'il n'y avait pas tellement de chocolats à l'intérieur.

Je ne me souvenais pas si nous avions convenu de nous retrouver à l'intérieur ou à l'extérieur du cinéma. J'ai vérifié dans le hall si elle n'était pas déjà arrivée, examinant chaque recoin. J'ai voulu l'attendre dehors mais il pleuvait toujours et très vite j'ai été frigorifié. De retour à l'intérieur, j'ai regardé défiler les titres des films écrits en lettres rouges sur l'affichage électronique. Je n'allais pas au cinéma très souvent ; à dire vrai, de toute ma vie, j'avais dû y aller environ cinq fois, et ça rendait la soirée encore plus excitante. J'ai failli acheter les billets, mais j'ai eu trop peur de mal choisir le film. Trois films commençaient à vingt heures. Il était presque l'heure mais je n'étais pas inquiet. Je comptais sur les pubs et les bandes annonces du début. J'ai fait les cent pas dans le hall d'entrée. Je vérifiais l'heure sur la grosse horloge toutes les deux secondes. Pendant ce temps, des gens, vieux ou jeunes, sales ou chics, la plupart chargés d'énormes cornets de pop-corn et de verres de Coca en carton de la taille de corbeilles à papier, défilaient autour de moi.

Je n'avais pas de téléphone portable pour appeler Maddy. D'ailleurs, je n'avais même pas son numéro. À vingt heures cinq, j'ai commencé à m'inquiéter. À vingt heures quinze, à me sentir mal. D'autres films débutaient à vingt heures trente. L'heure a sonné et toujours pas de Maddy. À vingt et une heures j'étais dans un état proche du chaos, je ne m'attendais plus à ce qu'elle arrive et pourtant, j'étais incapable de bouger de peur de la rater. Partir revenait à abandonner. Tant que je restais, je pouvais espérer.

À vingt et une heures trente, des gens commençaient à sortir des premières séances. J'ai reconnu un visage. Kirk. Planté au milieu du hall et je n'avais nulle part où me cacher. Au moins, j'ai eu la présence d'esprit de dissimuler le sac fantaisie derrière mon dos.

– Salut, Paul, a dit Kirk d'une voix étonnamment amicale. Qu'est-ce que tu fais ici ?

Il était avec une fille d'une année en dessous de la nôtre au lycée. Je ne connaissais pas son nom et Kirk ne me l'a pas présentée. Elle avait les cheveux noirs et raides. Ses yeux étaient cernés de noir et une longue robe noire recouvrait ses pieds. Elle était jolie mais paraissait très jeune. Peut-être que Kirk ne me la présentait pas parce qu'il avait honte d'elle. Ou de moi.

– J'étais… Je veux dire, je suis… J'attends quelqu'un.

Kirk s'est mis à parler du film qu'ils venaient de voir, évoquant les aspects cinématographiques de l'œuvre et d'autres choses que je n'ai pas comprises. C'était un film français appelé *La Règle du jeu*, diffusé dans le cadre d'un festival de films d'art et d'essai. J'ai eu l'impression que la fille s'ennuyait à mourir.

Enfin, il m'a paru prêt à partir. Mais avant, il m'a demandé :

– Qui est-ce que tu attends ?

– Personne, ai-je répondu. Vraiment, personne.

– Allez, dis-moi, a-t-il insisté. Le ton de sa voix était amical, je l'avais peut-être mal jugé. Et sûr que j'avais l'air con à attendre manifestement quelqu'un et à le nier. Sans bien y réfléchir, j'ai balancé :

– Maddy. On avait rendez-vous pour voir un film.

171

Une expression étrange est passé sur le visage de Kirk, presque comme un sourire invisible. Puis il a pris un air soucieux.

– Maddy ? Mais, tu ne sais pas ?

– Quoi ?

– Elle est avec Shane ce soir.

– Comment ça ?

– Ils passent la soirée chez lui, ensemble.

Kirk a dit cela lentement, en articulant chaque syllabe, pour partager le caractère exceptionnel de cette nouvelle.

– Je ne comprends pas.

– T'as vu les parents de Shane, tu sais qu'ils le laissent faire ce qu'il veut au sous-sol. Ils sont vraiment cool. La seule condition, c'est que Shane mette une capote. Je les vois bien descendre ensuite les voir avec du café et des cigarettes. J'aurais aimé que mes parents soient comme ça.

– Allez ! a râlé la fille, les yeux au sol.

– Ouais, ouais, a dit Kirk et il m'a regardé l'air de dire « Oh là là, qu'est-ce qu'elles ont toutes ces gonzesses ».

Il a grimacé de nouveau et a pris un air préoccupé.

– Tu savais, hein ? Je veux dire, pour Maddy et Shane ? Qu'ils couchent ensemble ?

– Ouais, bien sûr, ai-je répondu. On allait juste voir… au cinéma… un film… Elle a dû…

– Ouais, oublier, certainement. Les femmes !

La fille a fait semblant de le frapper, pour rire, et l'a entraîné loin. Kirk a lancé « À demain ! » par-dessus son épaule.

J'ai attendu qu'ils soient partis et je suis allé m'asseoir sur les marches menant aux salles. Je suis resté assis là pendant une vingtaine de minutes. À me repasser en boucle les paroles de Kirk. Et à imaginer Shane et Maddy ensemble. Je pouvais les voir s'embrasser et discuter. Si proches l'un de l'autre qu'ils pouvaient parler puis s'embrasser sans avoir à bouger. Je les entendais rire. Je les entendais se moquer de moi, le pauvre gars qui avait cru pouvoir devenir comme eux. Qui avait pensé qu'il pourrait peut-être se glisser dans le minuscule interstice entre eux, un interstice si étroit qu'un baiser pouvait l'enjamber.

J'ai jeté les chocolats à la poubelle et je suis rentré à pied sous la pluie.

22

Quand je suis arrivé chez moi, il était environ vingt-trois heures. Mon père était encore debout, il regardait la télé.

– Tu es en retard, fiston, a-t-il dit, ses yeux rebondissant rapidement de l'écran à moi.

Il n'a pas remarqué que j'étais trempé, au point que mes dents claquaient. Il n'a pas vu que j'avais perdu la moitié de mes entrailles entre le centre-ville et ici.

Je me suis avancé et j'ai éteint la télé. Mon père s'est levé et s'est mis à bafouiller. Chez nous, éteindre la télé est un crime. Mais en voyant mon visage il n'a plus rien dit.

– C'était que des mensonges, n'est-ce pas, papa ?

– De quoi tu parles ? Tu as bu ? Qu'est-ce que tu as fait pendant tout ce temps ?

– Tu es un menteur, papa, c'est ça ?

– Je ne vois pas de quoi tu parles, fiston.

– De la grande bagarre, il y a des années, à Temple Moore.

Mon père a pali. Son visage s'est affaissé.

– À qui as-tu parlé ?

– Qu'est-ce que ça peut faire ? Dis-moi la vérité. T'es un héros ? T'as vraiment aidé ces gamins ? Parce que moi, j'ai entendu dire que tu t'étais chié dessus.

C'est alors que mon père m'a giflé. Il ne m'avait pas frappé depuis des siècles. Ça m'a fait mal, mais je n'ai pas bronché. J'avais enduré pire que ça à l'école.

– Je ne veux pas entendre de telles paroles dans cette maison, a-t-il dit.

Je voyais pourtant qu'il n'avait pas envie de se battre.

J'aurais aimé le frapper à mon tour. Si je ne l'ai pas fait, ce n'est pas par peur. Au contraire. C'est parce que ça n'en valait pas la peine.

– Tu t'es enfui, n'est-ce pas, papa ? T'as défendu personne.

– C'était il y a très longtemps.

– Alors tu aurais dû laisser ça dans le passé. Pourquoi est-ce que tu t'es vanté ? Pourquoi est-ce que tu as menti ?

– Fiston, viens ici, a-t-il supplié, la voix brisée, le visage doux, ramolli presque. Je suis désolé de t'avoir frappé. Laisse-moi…

Il a essayé de me toucher – de me prendre dans ses bras, je crois – et c'est là que je lui ai donné un coup. Je ne l'ai pas vraiment frappé, je l'ai poussé. Il est tombé en arrière sur le fauteuil. Je me suis retourné et j'ai couru à l'étage. Je me suis assis sur le sol de ma chambre, le dos contre la porte pour que personne ne puisse entrer.

Je suis resté comme ça toute la nuit, éveillé comme jamais je n'avais été éveillé dans ma vie. Et, lentement, la chemise a séché sur mon dos.

Mais non, les joueurs n'ont pas déserté le plateau. Une main déplace une pièce. Un cavalier est pris. Le couteau se rapproche.

23

Le lendemain matin, pendant la pause, je suis allé au club d'échec. L'endroit idéal pour disparaître. Monsieur Boyle a souri en me voyant.

– Je suis content que tu sois venu, a-t-il dit.

Il m'a présenté aux autres élèves. Ils étaient de tous les âges – des petits de septième année, des dixième année dégingandés et des gros entre les deux. Mais aucune fille.

Monsieur Boyle m'a fait asseoir à côté d'un des plus jeunes.

– Simon va jouer avec toi. Est-ce que tu sais comment les pièces se déplacent ?

– Oui.

Simon flottait dans ses habits. Quand il gigotait, eux restaient en place. Il avait des lunettes rondes et il tirait la langue quand il se concentrait.

En quatre mouvements, je me suis retrouvé échec et mat.

Il a tendu sa main pour que je la lui serre. J'ai envoyé valdinguer les pièces par terre avec mon bras et je suis sorti en trombe. En partant, j'ai vu le visage de Boyle perplexe, déçu.

J'ai erré dans les couloirs pendant quelques minutes encore jusqu'à ce que le proviseur adjoint, monsieur Mordred, me voie.

– Toi, dehors ! a-t-il beuglé.

Il aimait que son école soit dépourvue d'élèves. S'il obtenait gain de cause, on n'aurait même pas le droit d'aller en cours.

Dehors, j'ai vu Shane et les Zarbis. C'était facile de les remarquer parce que la cour était étrangement vide. Maddy était là, le regard posé sur le champ des gitans. Le vent qui jouait avec ses cheveux la rendait jolie. Je la détestais.

Billy a croisé mon regard. Il a fait un geste de la main, un sourire idiot s'est dessiné sur son visage rond et stupide. Shane m'a lancé un regard par-dessus son épaule. Kirk lui a dit quelque chose à l'oreille et ça les a fait rire. Je me suis détourné et j'ai longé les bâtiments scolaires jusqu'au bout.

Je savais qui j'allais trouver de l'autre côté. Il n'y avait pas que Roth, Bates et Miller. Ils étaient tous là : les tarés, les brutes et aussi une foule de parasites insignifiants. Ils parlaient, plaisantaient, se chamaillaient. Personne n'a vraiment fait attention quand je me suis joint au groupe. Roth s'est frayé un chemin jusqu'à moi.

– Bien, mon garçon, bien, a-t-il dit en enroulant sa main autour de ma nuque, me tirant vers lui.

– Je l'ai, ai-je lâché, les mots tombant de ma bouche.

– Tu n'avais pas besoin de me le dire, a répondu Roth en rapprochant son visage du mien. Je l'ai remarqué tout de suite. N'importe qui l'aurait remarqué. Tu as l'air d'un homme, tu as l'air d'un… d'un guerrier.

Puisque Roth me traitait en ami, j'étais tout à coup l'ami de tous les autres, membre à part entière de cette masse grouillante de poings, de muscles, de nerfs. Ça me plaisait. Penser à Maddy et à Shane m'avait affaibli. Maintenant qu'ils étaient sortis de ma vie, je me sentais fort. J'avais l'impression que nous pouvions accomplir n'importe quoi.

Roth parlait.

– Ce qu'on veut pas, c'est qu'ils prennent la fuite. On les veut tous. Il faut qu'ils comprennent tous autant qu'ils sont. S'ils se dispersent, ils diront qu'il ne s'est rien passé. Ils diront qu'on a pas gagné. Ils doivent pas avoir cette excuse.

– Mais on peut pas les empêcher de s'enfuir, a dit quelqu'un.

– Si, on peut.

– Pas si on est sur le champ des gitans. Ils nous verront, ils se chieront dessus et ils partiront en courant.

– Ouais, si on était tous là-bas, a dit Roth, évidemment que c'est ce qu'ils feraient. Mais imaginons qu'on n'y soit pas tous ? Imaginons que, pour commencer, on ne laisse qu'un petit groupe sur le champ.

– T'as un plan, Rothie ?

– Ceux de Temple Moore vont venir par là.

Roth a désigné un endroit au-delà du champ des gitans et au-dessus de la colline.

– Ils vont traverser la route et vont arriver par là.

– Comment sais-tu ? Et s'ils viennent par l'autre chemin, s'ils longent la route et passent par devant ?

– On va faire en sorte qu'ils prennent le chemin qu'on leur a choisi.

– Comment ?

– On va mettre un appât.

Des rires se sont élevés. Les plus intelligents comprenaient. Les plus bêtes riaient pour faire comme les autres.

– Ouais, un appât, pour le gros poisson. Et comment attrape-t-on un gros poisson ?

– Avec un petit poisson ?

– Allez, Rothie, crache.

– OK. On place des gamins tout autour du champ. Beaux et chics dans leur blazer. Ça va les encourager. Ils vont sentir l'odeur du sang et foncer droit sur eux en pensant que c'est Noël. Nous, on sera caché près du ruisseau. Dès qu'ils nous dépassent, on bondit. Comme on sera derrière eux, ils seront encerclés, pris au piège.

Il a cogné son poing dans sa paume ouverte. Le marteau et l'enclume.

C'était une bonne stratégie. Le ruisseau formait une tranchée naturelle sur une bonne partie de la longueur du champ. Ouais, on pouvait s'y cacher en attendant le bon moment.

– Mais qui va faire l'appât ? Parce que, ben, l'appât s'fait bouffer, non ?

Roth a souri. Ses yeux noirs brillaient.

– Des héros. Des volontaires. Pas les grands. On a besoin de gamins qui ont du cran. Il faut qu'ils restent immobiles pendant que les Templars leur foncent dessus.

Il a fait le tour de l'assistance, observant chacun avec intensité comme s'il n'y avait personne de plus important sur la terre.

– On a besoin de quelques-uns parmi vous pour attirer les ennemis dans le champ.

Tout le monde s'était imaginé faire partie de ceux qui jailliraient du ruisseau. Chacun avait anticipé l'excitation de l'assaut, avait savouré par avance le choc et la peur qui se liraient sur le visage de leurs ennemis. Mais là, c'était différent. On leur demandait d'attendre que les Templars leur foncent dessus et de prier pour que les autres arrivent à temps. Cela dit, ce serait sûrement trop tard.

Oui, l'appât se fait bouffer.

Ils se sont agités et ont regardé leurs pieds.

– Moi, je vais le faire, ai-je dit.

Des encouragements. Du soulagement aussi, je crois.

– C'est ça, c'est comme ça qu'il faut faire. Bon gars !

Roth m'a pris par les épaules et m'a secoué. J'avais l'impression d'avoir été coupé en deux. Une partie de moi se sentait fière, transportée de joie. Mais une autre partie avait honte. Était-ce la bonne partie, celle qui abritait mon âme ? Mais Roth n'a pas senti cette division en moi, malgré son habilité à lire en nous comme dans un livre ouvert.

– Allez, il m'en faut plus.

Quelques autres ont accepté. Des petits, féroces et idiots, qui n'avaient pas peur, du moins qui s'en vantaient.

Notre boulot était aussi de garder les moutons dans un certain périmètre. Roth espérait que ceux qui viendraient profiter du spectacle se jetteraient dans la bataille si la victoire semblait acquise.

– Ok, a dit Roth. Voyons qui d'autre veut s'amuser avec nous.

Quand nous avons fait irruption dans le timide soleil de la cour de récré, tous les visages se sont tournés vers nous. Faut dire que nous étions nombreux. Roth avait pris les choses en main. Il arpentait la cour et allait d'un groupe à un autre, cajolant, aguichant, persuadant, menaçant – tous les moyens étaient bons. Quelques gamins se sont joints à nous avec enthousiasme, heureux d'être appelés. Certains se sont renfrognés, et d'autres ont eu peur. Mais ceux-là craignaient davantage Roth que la bataille à venir.

Enfin, nous sommes arrivés à hauteur de Shane et des Zarbis. Je les avais déjà repérés. Ils nous avaient observés nerveusement tandis que nous traversions la cour. Pas Shane, bien sûr. Son éternel petit sourire en coin sur ses lèvres. Mais Kirk semblait avoir terriblement envie d'être ailleurs, et le gros Billy avait les larmes aux yeux. J'ai eu honte d'avoir voulu être comme eux.

Roth s'est posé devant le groupe. J'étais à ses côtés.

– Tu crois qu'il y en a une parmi ces tapettes qui veut participer ? a demandé Roth.

– Nan, a dit Bates. Ils n'ont pas encore mis leur maquillage. Et après, ils vont tous aller chialer ensemble.

– Ta gueule !

J'étais surpris de voir Serena intervenir.

– Connasse ! lui a répondu Bates.

Serena a fait un pas en avant, comme si elle voulait lui casser la figure. Avec ses lèvres violettes et ses cheveux noirs, elle était superbe. On aurait dit qu'elle sortait tout droit d'un film de vampires. Bates a reculé, mais pas Roth. Il a posé sa main sur sa main, presque gentiment, et il l'a poussée sur le côté. Malgré la douceur du geste, Serena est tombée.

La suite est allée assez vite. Shane s'est précipité sur Roth, il ne souriait plus du tout. Pendant une seconde, mon cœur a bondi de joie. J'avais beau être avec Roth, j'aimais l'idée que Shane pouvait lui en faire voir de toutes les couleurs. Il pratiquait le taekwondo, ou le jujitsu, enfin un art martial dans le genre. C'est de là qu'il tirait cette incroyable force intérieure.

Roth n'attendait que ça. Évidemment, il avait toujours détesté Shane, détesté son indifférence, son détachement, son attitude distante. Ce qu'il détestait par-dessus tout, c'était que Shane nous proposait une autre voie, une autre façon d'être. Roth voulait nous faire croire au règne de la violence. Pour lui, tu étais soit du côté du poing, soit du côté du visage cogné. Le bourreau ou la victime : pas de troisième possibilité. Shane s'était libéré de cette vision des choses. Mais Roth voulait l'arrêter, l'enchaîner. Il attendait depuis si longtemps d'avoir l'occasion de le faire souffrir.

Il y avait de l'élégance dans la brutalité de Roth. Pour parvenir à être comme lui, pour accomplir ce qu'il avait accompli, il fallait avoir une certaine maîtrise de son corps. Il fallait pouvoir le faire bouger de manière à ce qu'il se conforme à sa conception de la beauté et de l'harmonie.

Le revers de la main droite de Roth a débuté son mouvement près de son genou gauche. Il a décrit un arc de cercle et il est venu gifler Shane, bien que « gifle » ne restitue pas vraiment toute l'intensité du geste. Avec élégance, le bras a ensuite accompagné le geste et a terminé sa course au-dessus de son épaule droite. Dans les souvenirs, les coups semblent toujours évoluer au ralenti, comme les battements des ailes d'un cygne dans un documentaire. Au contraire, dans ce monde bien réel, tout s'est passé en accéléré. Restait l'écho du choc vrombissant dans l'air. Lors de l'impact, il a dû y avoir le bruit d'un craquement, semblable à quelque chose de précieux qui se brise, mais je ne me souviens que du bruit de la claque et de la vision de Shane sur le dos, le visage recouvert de sang au point qu'on ne voyait pas la blessure.

J'ai entendu quelqu'un appeler mon nom. J'ai baissé les yeux. Maddy me parlait, les larmes coulaient le long de ses joues. Elle me demandait de l'aide, je crois. J'étais en partie content qu'elle souffre, jusqu'à ce que l'ombre de Bates la surplombe et qu'il lui crache grassement dans les cheveux.

J'ai dit à Bates de ne pas faire ça mais les mots ne sont jamais sortis de ma bouche. J'ai vu le visage de Roth, son étrange absence d'expression, son air satisfait, tandis qu'il se tenait au-dessus de Shane. Il s'est mis à tripoter la braguette de son pantalon et je me suis souvenu de Compson. Je savais ce que Roth allait faire. Il allait pisser sur le visage de Shane, tout comme il avait pissé sur le visage de Compson.

Kirk, Stevie et Billy ne savaient pas quoi faire : devaient-ils essayer d'aider Shane ? Nous attaquer ? S'enfuir au cas où ils seraient les prochains sur la liste ? Ils sont restés là, indécis, perdus, désolés, leurs mains exécutant des mouvements inefficaces, comme pour chasser des mouches d'été.

C'est là que je suis revenu à moi. Je me suis avancé, j'ai mis ma main sur le bras de Roth et j'ai dit « non ». Roth s'est tourné vers moi. Le vide agréable sur son visage disparaissait pour laisser place à de la rage. Je ne voyais pas qu'il faisait quelque chose d'important, qu'il se livrait à sa mission d'éducation du monde ? Au fond de mon cœur, j'ai tressailli.

Mais j'avais une bonne excuse.

– Boyle, ai-je lancé en faisant un signe de la tête par-dessus son épaule.

Les autres se sont tous retournés. Pas Shane.

Monsieur Boyle avançait vers nous. Son visage était écarlate, sa barbe clairsemée et hérissée, sa veste sale en tweed virevoltant derrière lui comme les ailes d'une chauve-souris poilue. La foule s'est désagrégée devant lui, les élèves s'enfuyaient dans toutes les directions. Je n'ai pas vu Roth courir mais lui aussi a disparu. Je me suis retrouvé avec Shane et les autres. Serena et Maddy étaient penchées au-dessus de lui. Les garçons étaient debout, toujours indécis.

– Qu'est-ce... qui... Qu'est-ce qui s'est passé ici ? a demandé Boyle.

187

Il regardait tout autour de lui, essayant de comprendre la situation.

– Je ne sais pas, monsieur.

Qui a parlé ? Un des garçons, je crois. La règle, la seule règle que personne n'enfreindrait était la loi du silence.

Boyle s'est agenouillé à côté de Shane. Il a sorti un mouchoir et a essuyé le sang sur sa bouche. Shane avait ouvert les yeux mais il ne regardait pas Boyle. Ses yeux étaient posés sur moi.

– Qui a fait ça ?

– Je suis tombé, monsieur, a dit Shane de sa voix douce.

– Ne sois pas stupide, mon garçon. J'ai vu qu'il se passait quelque chose ici. Mais il y avait beaucoup trop de monde dans la cour. Allez, dis-moi, qui t'a frappé ? Nous devons mettre fin à tout ça. Il suffit qu'une seule personne parle.

Je savais que Shane ne dirait rien, parce que même les saints comme Shane n'enfreignent pas les règles. Et ce n'était pas une règle comme celle qui interdit de mâcher du chewing-gum en classe. C'était une loi, une loi de la nature du même ordre que la théorie de l'évolution ou la température d'ébullition de l'eau. On ne brise pas ce genre de lois. Elles font de nous ce que nous sommes.

– Je suis tombé, monsieur.

Boyle, désespéré, a détourné les yeux.

– Varderman, je te pose la question : que s'est-il passé ?

– Je n'ai rien vu, monsieur.

J'ai cru que Boyle allait exploser. Il a bafouillé quelque chose et il est parti. Puis il est revenu et a aidé Shane à se relever.

– Tu es aussi coupable que les autres, a-t-il dit en ne s'adressant à personne en particulier.

D'un ton plus doux, il a ajouté :

– Allez, viens, on va te nettoyer. Ensuite, je vais te conduire aux urgences et nous verrons si tu as besoin de points de suture.

– Je vais bien, monsieur.

– Je ne crois pas, non.

Ils sont partis tous les deux de l'autre côté de la cour, vers l'infirmerie puante, son seau de sable, son mannequin cassé utilisé pour enseigner le bouche-à-bouche, et sa trousse de premiers secours avec ses boîtes de compresses vides.

24

Nous sommes restés silencieux.

J'ai parcouru le groupe du regard. Stevie, recroquevillé sur lui-même, ratatiné comme un tournesol qui meurt ; Billy, les yeux humides de larmes retenues, désespéré de n'avoir aucune raison de sourire ; Kirk, la bouche serré, la mâchoire verrouillée ; Serena, à l'allure de petite fille ; Maddy.

Maddy tellement pleine de haine qu'elle paraissait irradier, semblable au tortillon incandescent d'une ampoule. Je l'ai regardée car je voulais m'imprégner de sa haine, comme on s'imprègne de l'image du tortillon rouge au point que, quand on ferme les yeux, on le voit toujours.

Elle s'est avancée tranquillement jusqu'à moi. J'ai fermé les yeux. Son image irradiante persistait. Elle a dit un mot, un seul, et ensuite elle m'a craché au visage. Ce n'était pas le glaviot épais de Bates, mais le jet de salive de quelqu'un qui n'a jamais craché avant mais qui le fait pour affirmer quelque chose. Quand j'ai rouvert les yeux, ils étaient tous partis. J'étais seul dans la cour et le mot résonnait dans ma tête.

Traître.

Traître.

Traître.

L'ombre au-dessus de mon épaule grandit. Je ne devrais pas m'inquiéter pour ça, pas avec cette langue brûlante de métal qui vacille devant moi. L'ombre est ronde. L'ombre est douce. Il n'y a rien de doux et de rond qui puisse me faire de mal. Rondeur et douceur ne peuvent pas me pénétrer. Au contraire, la langue de métal te pénètre comme si tu la désirais. Comme si c'était ce que tu avais toujours désiré. Alors, pourquoi est-ce que l'ombre me fait si peur ? Pourquoi est-ce qu'elle m'attire loin du danger immédiat ? Si mon attention déraille, le couteau déraille aussi, et se rapproche. Bordel, il se rapproche…

25

À l'heure du déjeuner, Billy est venu me trouver à la bibliothèque.

Il m'a fallu un certain temps avant de me rendre compte qu'il était là. J'étais plongé dans un souvenir qui remontait à quand j'étais petit. Je devais avoir six ou sept ans. Mes parents avaient invité des amis dont les enfants avaient le même âge que moi. Nous pique-niquions tous ensemble dans le champ des gitans, ce qui paraissait délirant, mais lorsqu'il faisait beau, ça pouvait être très agréable. À certains endroits, le sol était en pente et on ne voyait plus les maisons. Bercés par le bruit du ruisseau au fond, on avait presque l'impression d'être à la campagne. Nous avions des sandwichs au jambon, des friands à la saucisse et des beignets à la confiture, qui n'étaient en fait que du pain et de la confiture plongés dans de la pâte et frits, mais j'adorais ça. J'avais joué dans le ruisseau avec les autres enfants. Nous avions des

« méduses » aux pieds pour éviter de marcher sur les morceaux de verre et les fils de fer rouillés. Nous avons barboté dans l'eau boueuse pendant que nos parents buvaient de la bière et du vin, en rougissant au soleil.

Il y avait une fille prénommée Bethany qui avait les cheveux les plus bouclés que j'avais jamais vus. Je me souvenais lui avoir pris la main pendant qu'elle se tenait en équilibre sur un vieux réfrigérateur qui avait été jeté dans le ruisseau. Les autres enfants s'étaient moqués de nous parce que nous nous tenions par la main, mais ça ne me dérangeait pas parce que j'aimais Bethany et ses cheveux bouclés.

Je crois que je tendais la main pour toucher les boucles de Bethany quand Billy s'est lourdement assis en face de moi, remplissant l'espace dans lequel s'évanouissaient mes pensées.

– Je te cherchais, a-t-il murmuré, bien qu'il n'y ait personne d'autre dans la bibliothèque.

– Tu m'as trouvé.

C'était difficile d'être froid avec Billy. Mais j'étais devenu dur.

– Kirk m'a dit.

– T'a dit quoi ? ai-je demandé, ma voix aussi neutre que possible et mes yeux évitant les siens.

– Ce qu'il a fait.

– Qu'est-ce qui te fait croire que je m'intéresse à ce que Kirk a fait ?

– Pas seulement ce qu'il a fait – ce qu'il t'a fait, à toi.

– Kirk ne m'a rien fait.

– Ah bon ?

– Kirk n'est rien pour moi. Vous non plus.

– Ne me prends pas pour un con. J'ai vu ce qui s'est passé pendant la pause. Tu croyais que personne ne s'en apercevrait ?

– Je ne vois pas de quoi tu parles.

– Dans la cour. Tu as dissuadé Roth. Il allait faire quelque chose de terrible, et tu l'en as empêché.

– Je n'ai fait que l'avertir que Boyle arrivait.

– Non, ce n'est pas vrai. Je t'observais. Tu l'as arrêté, et après tu as vu Boyle. Boyle a servi d'excuse.

– Tu ne sais pas de quoi tu parles. Qu'est-ce que ça peut me faire à moi si Roth pisse sur Shane, ou sur n'importe lequel d'entre vous ?

– Tu vas m'écouter, oui ? Je sais que tu ne penses pas ce que tu dis. Tout à l'heure, on était tous ensemble à la cantine. On était encore un peu choqués, tu sais, à cause de Shane. Kirk parlait beaucoup comme il fait toujours. Il a raconté qu'il t'avait vu à l'Odéon hier soir et que tu attendais Maddy. Il a dit que c'était pour ça que tu étais passé de l'autre côté, du côté des brutes.

– Je ne t'écoute pas.

– Si, tu m'écoutes. Il faut que tu m'écoutes. Kirk se vengeait sur toi, disant à quel point tu étais un pauvre naze de nous avoir trahis, d'être devenu un de ces enfoirés pour ça. Juste parce que Maddy t'avait posé un lapin. Il a dit que tu nous avais montré ta vraie nature. On n'aurait jamais dû t'accepter dans notre bande. Pendant qu'il parlait, Maddy avait l'air de penser : *Mais de quoi est-ce qu'il parle ?* Elle a fini par expliquer qu'elle ne t'avait pas posé un lapin, qu'elle n'avait pas pu, parce qu'elle ne s'était même pas rendu compte que vous aviez rendez-vous.

– Je ne dis pas que c'était le cas.

– Mais c'est bien ce que tu pensais, non ? C'est pour ça que tu attendais à l'Odéon ?

Je n'ai rien répondu, mais je ne pouvais pas cacher ma honte.

– Eh ben, elle n'avait pas compris. Je t'assure qu'elle ne faisait pas semblant. Elle ne t'a pas posé un lapin. Elle a été la première étonnée d'apprendre que vous aviez rendez-vous. Alors Kirk a déclaré que tu étais fou et que tu avais tout imaginé. Il pense que, de toute façon, Maddy est trop bien pour toi.

– Ouais, ben merci, Billy, tu m'as bien remonté le moral. C'est pour ça que tu es venu ? Mission accomplie. Maintenant, laisse-moi !

– Je n'ai pas encore fini. Ensuite, sa copine de neuvième année – Lucy, je crois que c'est comme ça qu'elle s'appelle – est arrivée avec son assiette de riz bouilli, parce que c'est tout ce qu'elle mange. Elle nous a raconté ce que Kirk t'avait dit, comme quoi Maddy et Shane couchaient ensemble. Kirk a voulu la faire taire et ils se sont disputés. Elle a dit qu'il ne faisait que parler de Maddy et que si elle était vraiment si géniale, il n'avait qu'à sortir avec elle. Il a répondu que « ouais, pourquoi pas ? » Elle est partie fâchée en laissant son riz. Mais nous, on avait percuté. C'est la faute de Kirk. Il t'a raconté tout ça pour te faire du mal.

– Je comprends pas. Je comprends rien et je m'en fiche.

– Écoute-moi ! Kirk mentait. Ce n'est pas ce que tu crois. Shane et Maddy ne peuvent pas être ensemble.

– Comment ça ?

– T'as pas compris ?

– Compris quoi ?

– Shane. Maddy. C'est pas possible.

– Bien sûr que si. J'ai vu la façon dont elle le regarde. Kirk a raison. J'ai été bête de penser… Écoute, casse-toi, OK, Billy ? J'ai des trucs à faire.

– Il est gay.

– Quoi ?

– Shane est gay.

Un silence assourdissant tambourinait dans mes tympans. J'ai ri. Ensuite, j'ai lâché :

– Tu te fous de moi ?

– Tu sais comment c'est dans cette école. Tu crois que je plaisanterais là-dessus ? Imagine ta vie ici si tu étais gay, si la vérité se savait. Imagine ce que ça peut te faire, à l'intérieur. Maddy a un frère qui… Eh ben, c'est à elle de te raconter ça. Quoi qu'il en soit, elle comprend mieux que quiconque. Shane sait qu'il peut tout lui confier. Et oui, peut-être qu'elle a ressenti des choses pour lui. Ce serait un peu bizarre, si tu veux mon avis, mais ce n'est pas là où je veux en venir.

– Et où veux-tu en venir ?

Tout ce que Billy avait dit paraissait plausible. Ses paroles aurait certainement dû me remonter le moral, mais non. J'étais trop perturbé, trop écœuré. Je ne savais pas quoi penser de l'homosexualité de Shane. Ça me mettait mal à l'aise et j'avais honte. Je voyais différemment les choses qu'il avait dites et faites. Je sais que je n'aurais pas dû, mais je n'ai pas pu m'en empêcher. Par ailleurs, savoir que Maddy ne m'avait pas délibérément fait attendre ne rachetait pas le fait qu'elle ne s'était même pas rendu compte que je l'avais invitée à sortir.

C'était trop. J'ai fait le vide dans ma tête et j'ai chassé tout ça au loin.

– Où je veux en venir ? Où je veux en venir ? a insisté Billy, hurlant presque à présent en agitant les bras. À te faire comprendre que tu n'as pas besoin de participer à toutes ces conneries de bagarre débile. Arrête de te comporter comme si t'étais le bras droit de Roth. On oublie ce qui s'est passé ces deux derniers jours et on reprend le cours normal de nos vies, OK ? Et on ne sait jamais, peut-être que toi et Maddy…

– Ne parle plus de Maddy, ai-je dit, surpris par la méchanceté concentrée dans ma voix.

– Ok, comme tu veux…

– C'est trop tard.

– Il n'est jamais trop tard.

– Tout est… en place.

– Et alors ? Tu n'es pas obligé d'y aller.

– Tu ne comprends pas.

– Bordel, c'est clair que je te comprends pas !

– Va-t-en, Billy. Va-t-en et va jouer à tes petits jeux idiots ! Prétends que ta vie est intéressante. Prétends que tu es unique. Prétends qu'il existe un drame tragique dont tu fais partie. Toi et ta bande, vous êtes pathétiques. Vous pensez que vous êtes meilleurs que les autres, que vous avez plus de profondeur. Mais vous n'êtes pas profonds, vous êtes stupides. Vous ne comprenez pas comment fonctionne le monde. Vous lisez des bouquins, vous en discutez, mais vous ne voyez jamais ce qu'il y a autour de vous. Eh ben, Roth, si. Roth voit tout. De toute manière, t'es nul comme Zarbi. T'es trop gros et tu ris trop.

Le visage rond et si souriant de Billy, qui convenait tellement mieux à un clown qu'à un Zarbi, m'a paru tout à coup décharné. La peau de son crâne semblait avoir disparu pour ne laisser que les os. Il s'est levé doucement, comme un vieil homme. J'ai eu honte.

– Écoute, Billy, ai-je dit. J'apprécie que tu sois venu ici, que tu m'aies parlé de tout ça. Mais les choses sont différentes maintenant, et tu n'y peux rien. Au fait, comment va Shane ?

Il m'a répondu d'une voix creuse :

– Maddy l'a appelé. Il a deux points de suture. Il sera de retour à l'école bientôt.

Ensuite, il est parti, traînant sa masse ondulante le long du couloir, comme un vieux bateau à voile qui quitte un port.

26

L'après-midi, j'avais géographie avec monsieur Boyle. Il n'avait pas le cœur à faire cours. Il n'a même pas pris la peine de faire taire les élèves qui bavardaient. Il marmonnait dans son coin, s'arrêtant parfois pour écrire des choses au tableau, de son écriture illisible. Comme d'habitude, Roth, Bates et Miller étaient derrière moi, mais ils ne m'ont pas lancé de chewing-gum ce jour-là. Nous étions dans le même camp à présent.

Le cours était ennuyeux et on pouvait sentir le niveau de nervosité et de fébrilité s'élever tandis que nous approchions de l'heure de la bataille. Je ne partageais pas cet enthousiasme. La colère que j'avais ressentie envers Maddy et Shane avait disparu. À la place, il ne me restait qu'un tas de boue grise. Pas vraiment idéal pour se motiver avant une bagarre.

Je voudrais trouver le mot juste pour décrire ce que je ressentais. Ça doit être un mot important. Ou peut-être le mot juste est-il tout simple : j'étais triste. Ma période zarbi était révolue. Pendant quelque temps, j'avais failli devenir un des débiles de Roth. Mais ça n'aurait jamais marché. Je n'étais pas assez endurci, et la douleur des autres ne me procurait aucun plaisir. Pourtant, je n'avais pas l'intention de me défiler. Contrairement à mon père, je ne me voyais pas vivre avec cette honte, la dissimulant sous des mensonges et des airs bravaches. J'avais dit que j'y serais, et j'y serais.

— Attends un instant, s'il te plaît, Varderman, m'a dit Boyle à la fin du cours.

J'ai entendu un sifflement derrière moi.

— T'as intérêt à être là sinon on vient te chercher.

Je me suis retourné, ignorant monsieur Boyle.

— J'y serai.

La salle de cours s'est vidée. Je suis allé près du bureau de monsieur Boyle. Il était en train d'écrire quelque chose et il m'a fait attendre quelques minutes. Enfin, il a posé son stylo. C'était un stylo bille mâchonné, pareil à ceux dont se servaient les élèves.

— Qu'est-ce qui se passe, Varderman ?

— Je ne sais pas, monsieur.

— Me prends-tu pour un idiot, Varderman ?

— Non, monsieur.

— Alors dis-moi ce qui se passe. Je sais qu'il y a quelque chose. Ça fait vibrer toute l'école.

— Rien, monsieur. C'est l'heure de rentrer, monsieur, c'est tout.

Monsieur Boyle a repris son stylo et s'est remis à écrire. J'ai trépigné, remué, sautillé. J'étais terrifié à l'idée que Roth puisse croire que je me défilais.

– Sur le chemin des urgences, j'ai discuté avec Shane, a-t-il repris après un temps. Oh, ne t'inquiète pas, il ne voulait rien me dire lui non plus. Mais on a parlé de toi. Il pense que tu as besoin d'aide. Il pense que tu serais capable de mettre ta vie en danger.

– Ce que je fais de ma vie ne le regarde pas.

C'est alors que, pour la première fois, Boyle m'a regardé droit dans les yeux.

– Avant, j'allais à l'école avec ton père.

– Je sais.

Mon père me l'avait dit. Quand je lui avais annoncé que j'avais monsieur Boyle en géographie, il avait ri. À l'époque, tout le monde prenait Boyle pour un bouffon parce que c'était un intello, qu'il était maladroit, qu'il trébuchait et tombait sans arrêt. Mon père m'avait dit qu'on l'appelait « Boyle sur le cul ».

– Il m'a aidé une fois, m'a dit Boyle. Une situation avait dégénéré et les élèves les plus âgés se battaient violemment les uns avec les autres. Ton père nous a aidés à nous échapper, moi et quelques autres. Sur la colline, à Temple Moore. J'habitais là-bas et je me suis trouvé au mauvais endroit au mauvais moment. J'étais mort de trouille. Ton père nous a sortis de là. Il n'était pas bête au point de vouloir participer à la bagarre, mais il ne s'est pas non plus enfui en nous laissant. C'était il y a long-temps, je ne sais pas pourquoi je te raconte tout ça.

Il m'a observé de nouveau, soutenant mon regard.

– Ton père, c'était un gars bien.

Moi, je savais pourquoi il me disait ça. Il était au courant pour la bagarre et se doutait que j'étais mêlé à tout ça.

– Monsieur, je peux y aller maintenant ?

Une autre pause. Il s'est remis à écrire.

– Non, Paul. Je vais te coller.

– Me coller, monsieur ? me suis-je exclamé, fou de rage. Mais j'ai rien fait.

– Je n'ai rien fait, Paul.

– Pardon, monsieur ?

– Tu n'as rien fait, pas : Tu as rien fait.

– Je sais, monsieur, mais…

– Retourne t'asseoir à ton bureau et écris-moi une dissertation. Une dissertation sur l'Histoire et sur ses enseignements.

Mais je ne suis pas retourné à mon bureau. J'ai regardé monsieur Boyle une dernière fois d'un air suppliant qui voulait dire : « Désolé, et je comprends ce que vous voulez faire, et je crois que vous aussi vous êtes quelqu'un de bien. » Malheureusement, je ne suis pas sûr qu'il ait compris. Ensuite, je me suis enfui de la salle en courant si vite qu'il ne pouvait pas me rattraper. Je l'ai entendu crier, exaspéré : « Varderman, reviens ! »

Je connais ce gars qui vient vers moi pour me faire du mal. Comment n'ai-je pas pu le remarquer avant ? Je suis soulagé de savoir que je ne vais pas être tué par un étranger. Lui, je le connais, je connais son histoire. Est-ce que cela va m'aider à ralentir sa progression ? Il paraît que la connaissance, c'est le pouvoir. Ça tombe bien, ce dont j'ai besoin, c'est du pouvoir d'arrêter le monde. À défaut, je voudrais le diviser en un nombre infini d'étapes. Demi, quart, huitième, seizième… Je te connais, et tu ne m'atteindras jamais.

27

Tout allait bien – il ne s'était encore rien passé. Il y avait au moins quarante gamins sur le champ des gitans regroupés autour de Roth. Une pluie fine tombait de manière régulière maintenant, remplissant l'air. Peu d'élèves avaient mis leur manteau. Tous étaient mouillés, les cheveux plaqués sur leur front pâle. À mesure que je m'approchais, je pouvais voir deux groupes distincts. Dans le premier groupe, il y avait les costauds de notre année et les plus forts des deux années en dessous. Les brutes, les voyous et les gros durs. Il valait mieux ne pas se fâcher avec eux. Ils s'agenouillaient sur ta poitrine et te crachaient au visage pour te voler ton argent. Ils n'étaient pas sympas. Pas du tout.

Dans le deuxième groupe, il y avait les autres. La plupart étaient plus petits mais il y avait aussi quelques grandes gigues et quelques rondouillards. Ceux-là étaient venus parce qu'on le leur avait ordonné. Ils ne savaient pas vraiment ce qui se passait et devaient penser que c'était là leur seule occasion de marquer des points, de se faufiler auprès des chefs et de gagner leur estime. Certains semblaient déjà effrayés. D'autres essayaient de se motiver et de se transformer en guerrier assoiffés de sang, mais personne n'y croyait. On aurait dit des enfants qui jouaient à la guerre.

— Paul, te voilà, a dit Roth, et une force puissante m'a attiré à lui à travers la masse de gens. T'as une mission. C'est toi le chef ici.

Il m'a murmuré ça à l'oreille, me pressant contre lui. Et je l'ai cru.

— Tu sais ce que tu dois faire ?

J'ai hoché la tête, sans grande conviction.

— Je vais te le dire encore une fois. Tu vois ce groupe, là ? a-t-il demandé en désignant l'appât. Il va se poster près de l'endroit où le ruisseau fait un virage et toi tu fais en sorte que personne ne bouge avant qu'on arrive.

Il m'a montré là où le ruisseau dessinait une courbe en forme de U. Dès que les Templars poseraient le pied sur le champ, nous n'aurions plus aucun moyen de nous échapper. Nous serions piégés par le ruisseau. Mais eux aussi. C'était ça l'idée.

— Je ne veux aucun fuyard, m'a dit Roth, suffisamment fort pour que tout le monde entende. Si quelqu'un s'enfuit, notre plan échoue. Si notre plan échoue, je me vengerai sur quelqu'un. Compris ?

J'ai acquiescé.

— Souviens-toi de ce qu'il y a dans ta poche, si jamais tu en as besoin.

De nouveau j'ai acquiescé, honteux, fébrile.

– Allez, dépêchez-vous, avant qu'ils arrivent.

Roth s'est alors tourné vers son groupe.

– Attends, ai-je dit.

Roth m'a regardé de nouveau.

– Si tu… si tu ne viens pas, ça va être terrible.

Roth a souri.

– T'inquiète, on viendra. Et on a de quoi les surprendre.

Il a ouvert sa veste. Une grosse barre noire dépassait du haut de la poche intérieure de son blazer. La poche elle-même semblait bourrée à craquer. Il y avait quelque chose d'énorme là-dedans, plus gros qu'un couteau. Les autres ont retiré leurs vêtements à leur tour et nous ont montré ce qu'ils portaient sur eux. Il y avait des barres en métal, des chaînes, des pierres et des couteaux. Quand les gamins que je devais mener ont vu ça, ils ont crié et applaudi. Moi, je ne me sentais pas bien.

– Autre chose ? m'a demandé Roth.

J'ai secoué la tête et j'ai marché avec les autres appâts – environ une vingtaine de gamins en tout – sur l'herbe inégale du champ des gitans, jusqu'à notre position.

Regardant par-dessus mon épaule, j'ai vu Roth et les autres partir comme des chasseurs vers l'endroit où le ruisseau plongeait en dessous du niveau du champ. Un par un, ils ont disparu dans le trou, comme des diables retournant aux Enfers.

Nous avions beau être nombreux, je me suis tout à coup senti très seul. J'ai observé les gamins autour de moi. Ils me paraissaient encore plus chétifs et insignifiants qu'avant. Il n'y avait pas beaucoup d'élèves de mon année. Les plus forts étaient tous planqués au fond de la tranchée avec Roth, et les autres étaient suffisamment malins, ou lâches, pour savoir qu'il valait mieux ne pas se trouver mêlé à tout ça. Je ne suis pas très grand pour mon âge, je suis dans la moyenne, mais j'ai vite vu que j'étais le plus costaud du lot. Ça m'a procuré un sentiment étrange, et il m'a fallu quelques secondes pour me rendre compte que c'était plutôt un sentiment agréable.

J'ai senti qu'on me tirait par la manche.

– Tu sais ce qui se passe ?

J'ai baissé les yeux. C'était le morveux de huitième année dont j'avais envoyé valser le ballon. Celui que Roth avait été sur le point de râper contre le mur avant que Shane ne lui vienne en aide. J'avais l'impression que c'était il y a des années.

– Quoi ?

– Comme j'étais derrière les autres, j'ai pas pu entendre ? Où on va ?

– Pourquoi tu me demandes ça ?

Le visage du gamin était entièrement tourné vers moi. Les autres visages aussi. Une puissante envie de les saluer d'un signe de la main et de m'en aller s'est emparée de moi. J'aurais tellement aimé traverser le champ et partir, loin d'eux, loin de cette école, loin de Shane, loin de Maddy, loin de tout. Mais, au fond de moi, je savais que ça ne servait à rien de fuir. Ça n'aurait fait que déplacer le problème. Il nous poursuit, où qu'on aille, et continue de nous gâcher la vie. De plus, je savais que ces losers avaient besoin de moi.

– Tu t'appelles comment, déjà ?

– Skinner.

– Eh ben, Skinner, on va là-bas.

J'ai désigné une boucle au niveau du ruisseau, à environ vingt mètres devant nous.

– Et qu'est-ce qu'on fait une fois qu'on y est ?

– On attend.

– Qu'est-ce qu'on attend ?

Les autres écoutaient aussi maintenant. Je me suis demandé ce que Roth leur avait dit.

– Le groupe des Temple Moore va arriver à l'autre bout du champ. Quand il nous verra, il nous foncera dessus. On reste là jusqu'à ce que Roth et les autres surgissent.

– Oh ! a dit le gamin, puis il a réfléchi un long moment. Mais alors ils seront derrière ceux de Temple Moore ?

– Ouais.

– Et nous on sera devant eux.

– Exact.

– Mais y aura rien entre eux et nous.

– Tu pensais qu'il allait se passer quoi ? Pourquoi es-tu ici, d'ailleurs ?

– Tout le monde m'a dit que j'étais obligé, que je devais défendre l'honneur du lycée. C'est vrai, non ?

Je ne savais pas quoi lui répondre.

– T'inquiète, tout va bien se passer, ai-je dit parce qu'il avait besoin d'entendre quelque chose. Quand Roth et les autres vont les attaquer, les Templars vont nous laisser tomber pour se battre contre eux. À moins qu'ils décident plutôt de prendre leurs jambes à leur cou.

Après tout, c'était possible.

Nous sommes arrivés au point convenu. Je me suis rendu compte alors que c'était moi qui les menais.

– Et maintenant ? a demandé quelqu'un.

– Comme je vous ai dit, on attend.

– Mais on devrait peut-être se préparer ?

Mes yeux se sont posés sur la marmaille. Un rot aurait suffi à les terrasser. Roth aurait pu tous les attraper en même temps et les réduire en bouillie. J'éprouvais pour eux à la fois du mépris et de la pitié. Mais ils ne me quittaient pas des yeux. J'étais devenu leur messie, leur espoir.

Je les ai passés en revue, mettant de côté les plus grands, ceux qui donnaient l'impression de pouvoir se débrouiller seuls.

– OK, vous, là. Vous êtes devant.

Je les ai alignés, dos tourné au ruisseau.

– Les autres, vous restez en retrait.

– Je veux pas aller derrière, a dit Skinner.

– Comme tu veux, ai-je répondu, à moitié agacé, à moitié impressionné par son audace. Mets-toi où tu veux.

Puis je suis allé examiner le ruisseau. Les berges ici descendaient rapidement, sans qu'il y ait le moindre chemin ou plateau. Depuis le bord, il fallait faire un saut d'un demi-mètre pour atteindre l'eau. Le ruisseau avait un débit important et s'écoulait avec une fluidité marron. Je ne savais pas quelle était la profondeur de l'eau. Un mètre, peut-être. En cas d'urgence, on pourrait toujours s'enfuir par là, mais la traversée n'aurait rien d'agréable.

– Je vois quelque chose, a dit l'un des garçons.

Nous nous sommes tournés vers la colline. Oui, ils étaient là. Ils formaient un nuage violet. Sans pouvoir les compter, j'ai compris qu'ils étaient nombreux. J'ai jeté un œil du côté de Roth et de son équipe. J'ai vu une tête émerger, rester en l'air un moment, et se baisser. Lui aussi les avait vus.

Les gamins autour de moi ont commencé à s'agiter.

– Faut qu'j'rentre chez moi, a dit le plus petit de la bande. C'est l'heure du dîner, ma mère va m'tuer.

– Tu ne peux pas. T'as entendu ce que Roth a dit. Tu veux qu'il s'en prenne à toi ?

– Non, mais je veux pas rester ici.

Quelqu'un a lâché un petit rire moqueur. Et on l'a violemment poussé dans le dos.

– Qui d'autre veut rentrer à la maison ? ai-je demandé.

Ils se sont tous regardés et ont secoué la tête.

– OK, écoute, le seul moyen de t'en aller sans que Roth te voie, c'est de traverser le ruisseau.

– Pas moyen, a-t-il dit, les yeux écarquillés de terreur. Y a des rats.

Beaucoup avaient peur du ruisseau, des immondices qui flottaient à la surface et de tout ce qu'ils ne pouvaient pas voir au fond.

– OK, dans ce cas, tu restes.

De grosses larmes ont roulé le long de ses joues. Il s'est mis à sangloter.

Ça virait au désastre. Quel effet ça aurait sur les autres si ce gamin perdait les pédales ? Je l'ai attrapé par le pull.

– Tais-toi ! ai-je ordonné. Monte sur mon dos.

– Quoi ?

– Monte ! Sur mon dos !

Après quelques efforts, je suis parvenu à le mettre sur mon dos. Je suis descendu vers l'eau. Le petit ne pesait vraiment rien – j'ai mangé des paquets de chips qui étaient plus lourds – mais le courant me fouettait les jambes et faillit me faire tomber. J'ai trébuché. Le garçon s'accrochait à moi comme font les bébés singes quand ils se tiennent à leur mère. Mais je me suis rattrapé, et tout allait bien.

L'eau m'arrivait jusqu'aux genoux. Je sentais la vase sous mes baskets. J'ai avancé, grognant à chacun de mes pas. Puis l'eau est montée au-dessus de mes genoux et elle est venue lécher les pieds du petit. On progressait bien, on y arrivait. Tout à coup, en voulant poser mon pied par terre, j'ai eu l'impression que le sol se dérobait sous mes pas. J'ai vacillé, tangué. Le garçon s'est accroché de toutes ses forces, ses bras autour de mon cou coupaient mon arrivée d'air. J'avais de l'eau jusqu'à la taille. Le courant me tirait, me narguait, me pressait pour que je tombe. Mais je ne suis pas tombé. J'ai titubé jusqu'à la berge opposée. Je n'avais pas la force de sortir de l'eau avec le gamin sur le dos, alors j'ai pivoté et je l'ai jeté sur l'herbe.

– Hé ! a-t-il crié. Attention !

– Allez, rentre chez toi bordel ! ai-je dit.

Sans me remercier, il s'est enfui en courant, trébuchant et tombant deux ou trois fois dans l'herbe drue. Quand il s'est senti en sécurité, il s'est retourné et m'a insulté.

Puis il a levé ses bras en l'air, ses doigts formant le V de la victoire.

J'imagine que j'aurais dû être offensé, ou fâché. Mais cela m'a fait sourire, puis rire. Je riais tellement fort que j'ai failli tomber dans le ruisseau sur le chemin du retour.

28

Quand je suis sorti de l'eau, les gamins m'ont regardé comme si j'étais devenu fou. On peut les comprendre. Je riais, j'étais drapé d'algues et recouvert d'un truc vert immonde. Je puais la boue et la fange. Mais ils semblaient aussi effrayés. J'ai regardé au-dessus de leurs têtes et j'ai compris. Les Templars étaient maintenant à moins de cinq cents mètres. Ils avaient quitté la route et marchaient dans le champ des gitans. Je ne voyais pas leurs visages, mais je percevais leur fébrilité, leur unité, et leur joie d'aller au combat.

Certains d'entre eux avaient enlevé leur cravate et les avaient enroulées autour de leur tête, comme des bandanas. Ça paraît idiot maintenant mais sur le moment ça nous a fait beaucoup d'effet. C'était inquiétant et sauvage. J'ai pensé que peut-être Roth avait raison en les traitant de barbares.

– Restez calmes, les garçons, ai-je dit, ressentant la peur et la nervosité des gamins autour de moi. Restons groupés et tout ira bien. Maintenez vos positions. Les grands devant, les petits derrière. Serrez-vous bien. Tout va bien – ils ne vont jamais nous atteindre. Souvenez-vous, Roth est juste là-bas derrière. Il observe. Il peut les voir. Il va venir.

Je disais tout et n'importe quoi dans l'espoir que mes paroles les aident.

C'est alors que nous les avons entendus pour la première fois. Des hurlements rugueux sont arrivés jusqu'à nous. Ce n'était pas la voix de la foule unie mais plutôt des individus qui criaient des injures.

Combien étaient-ils ?

Beaucoup.

Au moins cinquante. Notre groupe aussi devait compter presque cinquante membres, mais plus de la moitié étaient chétifs et inutiles. Les Templars n'avaient rien à voir avec notre bande. Ils paraissaient énormes. Nous étions face à des hommes, pas des garçons.

Ils se rapprochaient. Goddo en première ligne. Les petits sont venus se serrer contre moi, de tous les côtés. Roth avait dit que les Templars nous fonceraient dessus dès qu'ils nous verraient, mais ce n'était pas le cas. Au contraire, ils avançaient très lentement. Goddo se méfiait-il de quelque chose ? Ou bien s'amusait-il tellement qu'il voulait faire durer le plaisir.

À cent mètres de nous, ils se sont arrêtés. Goddo s'est adressé à son groupe, le bras levé, essayant de les calmer. Il a repris ensuite la tête du cortège et continué sa progression.

Il est suffisamment près maintenant pour que je voie ses yeux et lui les miens. Il met un moment avant de me reconnaître. Il sourit enfin, d'un sourire immense, ouvert, presque amical.

– Hé ! C'est le messager !

Ceux qui étaient avec lui dans le parc se mettent à rire en me montrant du doigt. Goddo reprend un air sérieux.

– Qui sont ces… enfants qui sont là avec toi, messager ?

Il va falloir que je parle. On ne m'a pas dit que j'allais devoir parler. Ce n'est pas pour ça que je suis là.

Je me force à ouvrir la bouche.

– Pourquoi est-ce que tu ne t'en vas pas, Goddo ? Tu n'as rien à faire ici. Pars maintenant, avant d'être réduit en miettes.

– Bien parlé, messager. Mais tu sais pourquoi je suis là. Et ce n'est ni pour toi ni pour ces rats de ruisseau. Où est-il ?

Où est-il ? Pour que le piège fonctionne, il faudrait que les attaquants de Temple Moore avancent encore un peu. Roth attend pour intervenir. Il temporise et nous laisse pendus au bout de notre ficelle, nous, l'appât, au-dessus des mâchoires de la bête.

– Nous ne sommes pas là pour nous battre contre vous, dis-je.

– Je vois ça, répond Goddo en riant. Toi, tu ne vas pas te battre. Peut-être que tu peux donner quelques coups, mais tu ne sais pas te battre. Où est ton chef ? Réponds-moi !

Sans savoir pourquoi, je me retourne. Ai-je entendu quelque chose ? Je ne m'en souviens plus. Mais je me retourne et au milieu de tous les visages présents, je l'aperçois. Kirk. Mon ennemi. Il se tient à l'extrémité du ruisseau. Il accroche mon regard et me sourit. Il a quelque chose dans la main. Derrière lui, je vois d'autres silhouettes qui s'approchent, un grand, un gros. Je concentre de nouveau mon attention sur Kirk. Dans sa main, il tient une demi-brique. Il me regarde, un sourire énigmatique sur les lèvres, puis il penche le bras en arrière et lance l'objet. Je tressaille, pensant que c'est moi qu'il vise. Mais la brique vole bien au-dessus de ma tête.

Je me retourne vers les gars de Temple Moore pour la voir retomber. C'est un bon lancer. Elle atteint le voisin de Goddo à la tête. Il tombe, les mains sur son visage, du sang rouge s'écoulant entre ses doigts.

Dans mes souvenirs, ce qui suit est à la fois rapide et lent. Dans un rugissement, toute la masse ennemie enfle, s'élance et déferle sur nous, comme la cendre et le gaz brûlants qui s'élèvent en volutes d'un volcan. Les enfants, effrayés, poussent des hurlements. Je les sens se presser contre moi, mais je ne peux pas les sauver. Je regarde rapidement alentour. Je vois Kirk qui court, à l'abri de son côté du ruisseau. Puis je me tourne vers Roth et son bataillon, tapis. Enfin, ils bondissent de leur cachette. Enfin, ils arrivent.

Mais il est tard.

Trop tard.

C'est alors que je remarque qu'ils ne nous rejoignent pas tous. Certains avancent vers nous très lentement tandis que d'autres restent en retrait. On dirait qu'ils attendent de voir ce qui va se passer. Comme s'ils étaient prêts à faire demi-tour et à courir si c'était la seule solution.

Mais nous, nous n'avons nulle part où aller. Le ruisseau nous encercle et les Templars fous de rage nous font face. Je tends mes mains, voulant toucher les gamins près de moi pour les rassurer. Je me rends compte que j'ai fait quelque chose de terrible, que je me suis laissé aveugler par ma propre colère et mon désespoir, sans prendre conscience des dégâts que je pourrais causer.

– Paul !

Je me retourne. Billy et Stevie sont dans le ruisseau. Serena et Maddy se tiennent derrière eux plus loin sur la berge.

– Fais passer les enfants !

C'est Stevie qui parle. Il remue ses coudes et ses genoux cagneux et me paraît plus vivant que jamais. Je commence à pousser les petits dans l'eau. Billy et Stevie les récupèrent, les portent, les tendent à Maddy et Serena. Six, huit, dix gamins, se jettent dans le ruisseau, certains riant, la plupart terrifiés. Mais le temps presse.

La bande enragée de Goddo est là.

Roth aussi. Une collision se produit alors. Les Templars d'un côté, Roth et une poignée de ses soldats de l'autre, et nous au milieu.

Goddo ne voit pas venir l'attaque de Roth. Le choc est violent. Tout à coup, des membres fouettent l'air de toute part. Des poings s'agitent, cognent au hasard le vide ou les visages.

Un gars de Templar, plus grand et plus large que moi, m'agrippe le visage, me poussant vers l'eau tumultueuse.

Mais sa main glisse sur ma peau recouverte de vase et d'algues, le faisant perdre prise et tomber en avant. Je le balance alors dans le ruisseau.

Un coup de poing m'atteint sur le côté de la tête. Si j'enregistre bien son impact, je ne prends pas immédiatement conscience de la douleur et je tombe alors à genoux, les yeux vers mon agresseur. Le garçon, un rictus haineux et grimaçant sur le visage, s'apprête à me frapper de nouveau. Mais à cet instant, une créature sauvage bondit sur lui. Pieds, genoux, bras, mains s'agitent frénétiquement. Je reconnais le gamin de huitième année, Skinner. Malgré son acharnement, le jeune de Templar, plus fort que lui, le jette à terre. L'agresseur lève le pied et à l'instant où je comprends qu'il s'apprête à l'écraser sur le visage de Skinner, je me rue sur lui. Ma tête percute son estomac et lui coupe le souffle. Il laisse échapper un grognement sonore.

Le temps d'une seconde, je regarde autour de moi. Voici la terrible équation, impossible à comprendre. Des luttes individuelles font rage. On se griffe, on se cogne. On arrache, balafre, gifle. Sans gloire, ni beauté ni grâce. Que des êtres humains rabaissés au rang de bêtes féroces. J'aperçois une ouverture dans la masse et je tire Skinner vers moi, l'arrachant miraculeusement au cercle de l'enfer. Son visage est couvert de sang mais je ne crois pas que ce soit le sien.

– Tu saignes, me dit-il.

Je me touche l'arrière de l'oreille et la vision du sang sur ma main me fait rire.

« Allez, rentre chez toi ! » ai-je envie de crier à Skinner. Mais à la place, j'utilise des gros mots, et, cette fois-ci, il fait exactement ce que je lui dis.

J'avais l'intention de le remercier, mais sur le moment je n'ai pas eu le temps, et maintenant je ne pourrai plus jamais.

Je cherche du regard les autres petits, ceux dont je devais m'occuper, ceux que j'aurais dû protéger. La plupart ont pu s'échapper par le ruisseau. Il y en a d'autres qui sont recroquevillés, accroupis dans l'herbe comme de jeunes lévriers. Eux aussi semblent en sécurité, pour le moment.

Partout, c'est l'horreur. On a sorti les armes : objets contondants, pierres, morceaux de bois, chaînes. Seuls les couteaux sont encore rangés.

C'est là que je vois Bates aux prises avec Mickey, le lieutenant de Goddo, celui aux cheveux pointus. En d'autres circonstances, on pourrait les prendre pour deux amoureux, agrippés comme ils sont, les yeux plongés dans le regard l'un de l'autre, les mains fouillant leurs visages à la recherche des parties tendres. C'est alors que je vois avec horreur Bates mordre la joue de Mickey, avant de la ronger comme un cannibale. J'aurais empêché ça si seulement j'avais pu.

Mais mon regard se pose sur Roth et je ne parviens pas à l'en détacher.

Son visage est transformé et brille d'un éclat tranquille, argenté, comme un clair de lune ou comme du mercure, lui prodiguant une certaine beauté propre à tous les démons. Ses bras enserrent et écrasent ses ennemis. Deux

225

d'entre eux tombent à ses pieds. Un grand garçon roux, une planche de bois épaisse à la main, se précipite vers lui, la bouche pleine de salive. Il y a un long clou au bout de la planche. Le mouvement de Roth est absolument parfait et à l'instant où la planche termine sa trajectoire, celle-ci ne rencontre que du vide. Le garçon se tenait là une fraction de seconde plus tôt. Le pied de Roth vient tour à tour percuter le bois et le visage du garçon. Puis deux coups de poing, chacun fendant l'air de haut en bas, achèvent de mettre deux autres jeunes de Temple Moore au sol. L'un se tient le visage et pleure. L'autre ne bouge même plus.

C'est alors que je vois l'expression sur le visage de Roth changer, et ce changement me fait frissonner. La superbe de Roth nous fait oublier la réalité : je m'en aperçois et lui aussi.

Nous ne sommes plus assez nombreux.

Il reste Bates, qui a réussi à se démêler des bras de son amant, ainsi que Miller, et deux, trois, quatre autres gamins de notre école. Mais il y a encore tellement de Templars. Le visage de Roth perd peu à peu de sa terrible beauté, jusqu'à devenir sinistre et laid. Vient-il de se rendre compte que ce qui l'attend, c'est la défaite, et toutes ses terribles conséquences ? Et que si l'on peut rester noble dans la défaite, on ne peut pas pour autant être beau.

Malgré tout, il continue, balançant un coup de pied devant lui en plein dans le bas-ventre d'un gamin, lui assénant une gifle du revers de la main qui lui fait exploser la lèvre. Avec lui, il ne reste plus que Bates et Miller. Et moi, étonnamment.

Comment suis-je arrivé à cet endroit ?

Est-il venu jusqu'à moi ?

– Tu l'as, me dit-il – et ce n'est pas une question. C'est le moment ou jamais.

Je ne peux pas m'empêcher de mettre ma main dans ma poche, là où m'attend le couteau. Je pourrais le sortir, ce serait facile de répondre à son appel, à celui de Roth. Mais je me bouche les oreilles et je secoue la tête. Sa bouche se tord violemment de rage et de frustration. Il halète, une couche de transpiration recouvre son visage. Je l'ai déçu.

Mais une voix s'élève au-dessus du brouhaha, devançant sa réaction.

– Roth !

Goddo.

Un sourire se dessine sur le visage de Roth, comme s'il avait toujours attendu cet instant. Le monde s'arrête et observe.

À présent ils sont seuls, à trois mètres l'un de l'autre, suffisamment proches pour se cracher dessus. D'un côté, il y a une trentaine de Templars. De l'autre, il y a moi, Miller et Bates, et des gamins brisés au sol, qui pleurent en silence.

– T'as tué ma petite fille, dit Goddo. T'as tué mon bébé. Tu vas le regretter.

Je ne sais pas quoi penser de Goddo. D'un certain point de vue, c'est un gars impressionnant. Il possède de la grâce, du charisme, et il paraît bien plus humain que Roth. Mais c'est peut-être aussi son défaut. Parler comme ça de son chien le rend faible. On dirait qu'il a envie de pleurer. Par ailleurs, je ne ressens aucune sympathie pour Goddo. C'est tout de même lui qui a emprisonné mon visage entre les mâchoires de son chien mort.

Roth prononce alors des mots que je ne peux pas vous répéter. Certains ont un rapport avec ce qu'il a fait au chien, d'autres ont à voir avec Goddo. Puis, il insulte Goddo, se servant d'un mot dont il est impossible aujourd'hui de qualifier qui que ce soit.

– Nègre, lance-t-il.

Je comprends ce qu'il a en tête en disant cela et Goddo lui-même doit s'en douter. Mais le résultat est le même, parce que Goddo réagit exactement comme Roth veut qu'il réagisse.

Il se rue sur lui.

Je sais aussi ce que Roth va faire ensuite. Une minuscule feinte d'un côté, presque imperceptible, suivi d'un écart de l'autre côté. Goddo va se jeter sur le vide et Roth va lui tomber dessus.

Mais ça ne se passe pas comme ça. Goddo est rapide. Aussi rapide que Roth. Ça ne s'est jamais produit auparavant. Il n'est pas assez rapide pour que la feinte de Roth échoue, mais suffisamment pour que son poing frappe Roth juste au coin du menton. Un centimètre de moins et il l'aurait raté. Mais il l'a frappé sur le menton. La tête de Roth est si massive et si solide, que si Goddo l'avait touché à n'importe quel autre endroit, Roth aurait ri. Mais personne ne rit quand il reçoit un coup de poing au menton. Dans une bagarre, il faut éviter de cogner un autre sur le menton. Lors du choc, les doigts se brisent, comme des branches sèches. Peut-être que les doigts de Goddo se sont cassés, mais ça n'a pas d'importance. Roth s'arrête. Il s'arrête comme une horloge à laquelle on a enlevé les piles. Ses yeux se troublent pendant un instant, s'embrument et il tombe sur un genou.

Les Templars hurlent de joie, libérant tout à coup leur nervosité et leur angoisse. On dirait des pigeons qui décollent tous en même temps.

Pendant une seconde, Goddo a l'air de ne pas comprendre ce qui se passe. Il recule. Serait-ce un piège ? Mais Roth garde la tête baissée, les yeux rivés sur le sol comme s'il y cherchait quelque chose de vital. Goddo s'approche alors de lui, la tête haute, un mauvais sourire sur les lèvres.

– Répète ce que t'as dit, si t'es un homme, chuchote-t-il, évoquant le terrible mot prononcé par Roth.

Celui-ci le regarde. La lueur qui brille au fond de ses yeux est plus faible mais cela n'empêche pas tous les Templars de faire un pas en arrière. Sauf Goddo. Goddo, lui, fait un pas en avant.

Erreur.

Roth se lance sur les jambes de Goddo. Ils tombent par terre. Goddo martèle l'arrière du crâne de Roth, mais ce dernier parvient à lui échapper. Ses grosses mains essaient d'atteindre le cou de Goddo, les doigts crispés. Goddo est un gamin solide. Personne d'autre ne pourrait résister à Roth pendant aussi longtemps. Mais Roth est difficile à battre et c'est lui qui reprend le dessus devant les Templars angoissés. Qu'ils aient dominé la bataille jusque-là n'a pas d'importance. Ce qui compte, c'est le combat entre les deux champions.

Goddo doit perdre à présent.

Roth a posé son genou sur la poitrine de son adversaire et une main sur sa gorge. Goddo s'agite comme un oiseau qui meurt. C'est fini. Je peux voir l'espoir s'éteindre dans les yeux des Templars. Ils veulent que le combat cesse. Ramener chez eux leurs blessés et leurs humiliés.

Mais Roth n'a pas fini. De sa main libre, il farfouille dans sa veste. Je me souviens alors de la large masse avec le manche noir. Il la tire de sa poche en criant. Un hachoir à viande à la lame épaisse dont le bord est affûté comme une hache. Il le brandit au-dessus de sa tête. Il va tuer Goddo.

À cet instant, je me rends compte qu'il faut réagir, qu'il faut mettre fin à cette atrocité. Mais Roth change de prise et me fait hésiter. Il attrape une des mains de Goddo, la plaque au sol et, après quelques efforts, parvient à isoler un doigt. Il lève le hachoir au-dessus de sa tête, la lame étincelant sur le ciel gris. Puis l'arme s'abat et je n'ai rien fait pour l'en empêcher.

Le hachoir est arrêté dans son élan.

Roth lève des yeux incrédules, remplis d'étonnement. Jamais il n'aurait imaginé une chose pareille.

Miller.

Qui prend le hachoir des mains de Roth et le lance dans le ruisseau. Alors que l'arme tourne lentement dans les airs, je me mets à croire qu'une main va jaillir de l'eau pour l'attraper. Mais elle y pénètre sans rencontrer d'obstacle et sans un bruit.

– T'aurais pas dû l'appeler comme ça, dit Miller, le visage neutre, avant de tourner simplement les talons.

Pourquoi Miller a-t-il trahi Roth ? Peut-on vraiment parler de trahison lorsqu'il s'agit de trahir le mal ? Miller attend-il cela depuis des années ou n'est-ce qu'un caprice ? À moins que la cruauté trouve elle-même ses limites. Miller semblait l'avoir atteinte. Son cœur avait découvert sa noblesse et tant pis s'il fallait commettre un acte de trahison.

Mais revenons au duel, à Roth, perdu, son bras dressé comme pour répondre à une question. Ridicule. Il a l'air ridicule. Qui aurait pu s'imaginer cela ? Goddo se relève. Les Templars, libérés du spectre de la défaite, s'amassent autour de lui. Je reste fasciné par cette masse de bras et de jambes qui avance, comme une machine.

Mais je n'ai pas le temps de comprendre cet engin et d'explorer son mécanisme. Une forme se précipite vers moi. Bates, pris de panique aveugle, détale comme un rat vers le ruisseau. Il me pousse et je tombe en arrière. En me relevant, je constate que tous les Templars ne sont pas regroupés autour de Roth.

Mickey a le visage couvert de sang ; un morceau de sa joue a été arraché et pend. Il est seul. Enfin, presque. Roth ne m'a-t-il pas dit un jour que, quand on a une lame sur soi, on n'est pas vraiment seul ? Dans sa main, Mickey tient un couteau de cuisine bon marché avec une longue lame. Rien à voir avec son canif.

Je ne sais pas si son esprit nous confond, Bates et moi, ou s'il a seulement envie de faire souffrir quelqu'un. Je suis plus facile à attraper que Bates, qui a fui au-delà du ruisseau marron, ou que Roth qui, lui, est toujours pris dans l'engrenage de la machine. Les Templars lui tournent autour comme des vautours.

Quoi qu'il en soit, dès que Mickey pose ses yeux sur moi, il se met à courir, brandissant le couteau. Pendant une seconde, j'envisage de sortir moi aussi mon couteau et de faire briller la belle lame meurtrière. Mais j'ai déjà pris la décision de ne pas m'en servir. De toute façon, je n'ai pas le temps.

Nous voilà revenus au point de départ. Je ne peux plus faire comme si le couteau n'existait pas, je ne peux même plus le ralentir. Il se déverse sur moi comme de l'eau. J'entends son bruit, un son aigu, rempli de misère plus que de rage.

J'aurais aimé qu'il plante son couteau en moi. S'il l'avait fait, je ne serais pas mort. Mais grâce à Roth, j'avais appris des choses, comme la simple technique qui consiste à se déplacer légèrement d'un côté et puis de l'autre. Je me sens pénétré par toute la joie et la frénésie de la bataille. C'est ce que la biologie et l'histoire nous enseigne : dans ces cas extrêmes, l'organisme libère des substances chimiques qui nous détournent de nos bonnes actions et nous poussent parfois vers les mauvaises.

C'est facile. Je n'ai qu'à faire ce que Roth n'a pas pu faire avec Goddo. Je bouge et j'attrape le bras de Mickey quand il passe devant moi. Je le lui tords derrière le dos, et je lui prends son couteau des mains. Sauf que Mickey est un gars solide et fort, malgré sa taille, et je m'aperçois que je ne peux pas le retenir. Il se débat, lutte, parvient je ne sais comment à me mordre la main et à me faire lâcher le couteau. On se lance dans un corps à corps, roulant dans la boue. Je prends alors conscience du fait que je suis en train de me battre avec un élève de Temple Moore, et que nous sommes entourés d'autres Templars. Pour la première fois, j'ai peur. Et la peur est une chose étrange parce qu'elle a tendance à vous faire aimer la vie, à vous y accrocher. Je me sens régénéré. Malgré toute son agitation et ses contorsions, je peux enfin le mettre à terre et je plaque la lame du couteau contre sa gorge.

Il faut à présent que vous m'écoutiez bien. C'est très important. Je n'allais pas me servir du couteau. Je n'avais pas l'intention de blesser Mickey. Je voulais simplement qu'il arrête de gigoter.

Et ça marche. Il est enfin parfaitement immobile. Ses yeux sont énormes et blancs. Maintenant, je vais me lever, et partir en courant. Je vais rentrer à la maison auprès de mes parents.

Quelqu'un me tire alors par le bras et je comprends que l'un des gamins de Temple Moore m'attaque par derrière, que la fin est proche. Aveuglément, je pivote et je m'élance, pensant simplement faire fuir mon agresseur.

Mais ce n'est pas un agresseur.

Et je sens que ça résiste, que la peau résiste. Le couteau s'enfonce dans un corps, rencontre l'os. Il glisse le long de l'os et pénètre davantage. Je vois ma main sur le manche en plastique noir, le tee-shirt blanc virer au rouge. Sa joue m'effleure alors qu'il tombe sur moi. J'aperçois ses larges yeux écarquillés, et je sais que c'est Shane. Je le sais non pas parce que je le vois, mais parce qu'il respire la douceur et la gentillesse.

L'instant d'après, les autres nous rejoignent. Billy, Stevie, Maddy, Serena.

– Putain, qu'est-ce que t'as fait ?

– Il venait t'aider.

– Quelqu'un… Vite, appelle une ambulance !

Une bulle de sang se forme sur les lèvres de Shane. Au bout d'une seconde, elle éclate, faisant le même bruit délicat qu'une goutte de pluie qui tombe sur une feuille.

Des mots, des voix, des larmes, rien.

29

J'ai de la visite. Ma mère et mon père viennent toutes les semaines. On s'assoit dans une pièce vide, les uns en face des autres de chaque côté d'une table en bois. Sur la table il y a un vase et dans le vase il y a une fleur en plastique. Ils me croient quand je leur dis que je n'avais pas l'intention de faire du mal à Shane. Est-ce que cela leur rend les choses plus faciles ? Au contraire, je crois que c'est pire. Mon père me parle de ce qui se passe dans le monde. Les yeux de ma mère se remplissent de grosses larmes qui ne tombent pas. Je leur dis qu'un jour je vais sortir et que je ferai le bien autour de moi.

Mais comment puis-je faire le bien ? J'ai tué un garçon, je l'ai tué avec un couteau. Je suis condamné au mal.

J'avais espéré que Maddy viendrait me voir, et les autres Zarbis aussi, Billy, Stevie, Serena. J'aurais pu leur expliquer ce qui s'est passé, ils m'auraient

pardonné. Mais ils ne viendront jamais, et ils me haï-
ront pour toujours. Je pense à Maddy, j'imagine la vie
qu'on aurait pu avoir ensemble. Peut-être qu'on n'aurait
pas eu toute la vie mais au moins quelques mois, un,
deux ans. On aurait fait ce que font tous les couples qui
s'aiment.

Jamais, jamais, jamais, jamais.

Shane est mort avant même d'arriver à l'hôpital.
Bordel, il est mort sur le coup. La lame du couteau a
rebondi sur une de ses côtes ; elle est allée se loger dans
son cœur. Son cœur s'est arrêté. Ils sont comme ça, les
cœurs. Plein de gens ont essayé de ramener Shane à
la vie. Les gars de l'ambulance ont essayé, les gens des
urgences ont essayé, les chirurgiens ont essayé. Il
est retourné au même hôpital que celui où il s'était fait
soigner une heure plus tôt.

Il avait quitté les urgences pour me rejoindre et
me tenir éloigné de la bagarre. On m'a raconté toute
l'histoire plus tard. Il a appelé les autres, leur a dit de
m'aider, qu'il serait bientôt là. Il m'a vu me battre avec
Mickey et il est venu jusqu'à moi pour m'empêcher de
faire une connerie.

Bien sûr, je n'ai pas eu le droit de le voir, ni à l'hôpital
ni pendant les jours qui ont suivi. Ce qui s'est passé
après que j'ai poignardé Shane reste un peu flou. Vous
devez penser que c'est parce que je ne veux pas m'en
souvenir et vous avez raison.

Quelqu'un a dû prévenir les professeurs. La police.
L'ambulance. Tous sont arrivés. La police en premier.
Une voiture s'est arrêtée sur la route près du champ et

deux flics ont accouru. Quand l'un d'entre eux est tombé, quelqu'un a ri. Je ne saurais pas dire qui. En voyant la police, tous ceux qui pouvaient courir ont fui. Ils se sont dispersés dans les airs. Pendant quelque temps, les policiers ont essayé d'attraper les fuyards, mais cela ne servait à rien. De toute manière, ils se sont vite rendu compte que leur présence était requise ailleurs. Auprès de moi et de Shane, qui mourait.

Je me sentais oppressé par la foule. Maddy hurlait et pleurait. Je crois qu'elle m'a frappé. Peut-être qu'ils m'ont tous frappé. « Il essayait de t'aider ! » criaient-ils. Je voulais leur parler de Kirk, leur dire que tout était de sa faute, mais personne ne m'écoutait. Avant que la police arrive, je me suis frayé un chemin jusqu'à Shane. Ses yeux étaient fermés, son corps tremblait, à peine, comme une feuille bercée par la brise. Je crois que j'ai dit : « Pardon, pardon, pardon ! » Il a cessé de trembler.

La police m'a menotté. Ils ont trouvé le couteau. Les deux couteaux, en fait. Celui que j'avais pris à Mickey et celui qui était dissimulé dans ma poche. C'est ce couteau-là qui a entraîné ma condamnation. Je m'étais rendu sur le champ de bataille muni d'une arme. J'étais un tueur avec un couteau.

Comment puis-je parler du jour où je suis mort alors que je suis vivant ? C'est parce que je ne suis pas vivant. Je suis mort là-bas, sur le champ des gitans, quand j'ai ôté la vie de mon ami Shane. Mon cœur est mort, mon esprit est mort, mon cerveau est mort. C'est vrai, mon corps bouge, il se déplace de ma cellule (eux appellent ça une chambre, mais c'est une cellule) à la douche, au réfectoire, à la salle de loisirs, aux toilettes, puis retourne à la cellule. Mais c'est un zombie, un mort-vivant qui bouge. Je ne sais pas quand je vais être relâché, ça n'a aucune importance. Les chaînes et les barreaux sont à l'intérieur, et je ne m'en libérerai jamais.

Je pense tout le temps à Shane. Quand on tue quelqu'un qu'on aime, il reste avec nous à tout jamais. Je vois son visage quand il m'a souri la première fois qu'on s'est rencontré. Je le vois sourire, dans son sous-sol ou dans la rue, alors qu'on traîne ensemble. J'entends sa douce voix et, même si je ne saisis pas ce qu'il me dit, je sais que ses paroles sont sages et sans reproche.

J'ai reconnu ses yeux dans ceux de sa mère lors du procès et j'ai vu sa bouche dans la bouche de son père.

Mais Shane n'est pas le seul fantôme qui me hante. Vivre avec son fantôme n'est pas une épreuve. Ce fantôme-là pourrait devenir comme un ami. Non, je veux parler d'un autre fantôme.

C'est en fait plus qu'un fantôme, pratiquement un dieu.

Roth a survécu. La fureur des jeunes de Temple Moore ne l'a pas tué. C'est cette fureur qui l'a sauvé. Comme il a été blessé, il est devenu une victime. Il n'y a pas eu de procès pour Roth, il n'a pas eu à répondre à différents chefs d'accusation.

Il était dans le même hôpital que Shane. Mais lui est vivant, alors que Shane est mort. Vous voyez, les dieux cruels sont plus forts que les bons dieux. Ce sont toujours eux qui gagnent à la fin.

Vous en doutez ? Regardez autour de vous.

L'esprit de Roth est en moi, cherchant à prendre possession de mon âme.

Et j'ignore qui sera le vainqueur.

DANS LA MÊME COLLECTION

MILAN

Genesis Alpha
de Rune Michaels

traduit de l'anglais
par Nicole Hesnard

Josh et Max. Max et Josh. Deux frères, presque jumeaux. Deux frères, qui partagent tout. En particulier leur passion pour *Genesis Alpha*, leur jeu vidéo, leur seconde vie. Mais lorsque Max est arrêté pour le meurtre d'une jeune fille, il ne s'agit plus de jouer...

Extrait:
Max est en détention provisoire depuis trois semaines.
Presque un mois.
Il peut se passer beaucoup de choses en un mois.
Mon anniversaire, par exemple ; même si personne ne s'en est rappelé. J'ai treize ans maintenant. J'en avais douze quand la fille est morte.

La couleur de la peur
de Malorie Blackman

traduit de l'anglais
par Amélie Sarn

Chacun de nous a son cauchemar. Une histoire de créatures monstrueuses, de poursuites infernales ou d'effroyables tortures, qui revient inlassablement dans nos nuits les plus noires... Un seul cauchemar, toujours le même, qui n'appartient qu'à nous.
Lors d'un accident de train, Kyle se découvre l'étrange pouvoir de vivre les cauchemars des autres. De l'intérieur. Comme s'il y était. En attendant les secours, tandis que la mort rôde parmi les victimes inconscientes, Kyle plonge ainsi au cœur de l'horreur.

Extrait :
Comment avais-je fait ça ? Comment avais-je pu arrêter d'être moi pour me glisser dans la vie de Steve ? Comment était-ce possible ? J'ai regardé mes mains. Elles tremblaient. C'était dingue ! Le rêve de Steve était si réel. Car ce ne pouvait être que ça : un rêve. Mais d'où venait-il ? J'avais mes propres cauchemars. Mais aucun ne ressemblait à ça. Aucun n'était si intense et aucun ne m'avait fait pénétrer dans la tête de quelqu'un d'autre.

Clic

Dix auteurs phares de la littérature
pour ados écrivent les dix chapitres
d'un roman pas comme les autres :
David Almond, Eoin Colfer, Roddy
Doyle, Deborah Hellis, Nick Hornby,
Margo Lanagan, Gregory Maguire,
Rhuth Ozeki, Linda Sue Park,
Tim Wynne-Jones.

traduit de l'anglais
par Marie Cambolieu

À sa mort, George Keane, photographe et grand voya-
geur, lègue un mystérieux héritage à ses deux petits-
enfants. À Jason, son appareil photo et une liasse de
photos dédicacées, à Maggie, une étrange boîte contenant sept coquillages. Photos et coquillages ont chacun
leur histoire : une histoire liée à ceux que Georges a
croisé sur son chemin et photographié.
En retournant sur les traces de leur grand-père, Maggie
et Jason vont s'ouvrir au monde et apprendre à savoir
qui ils sont.

Avec ce livre, les éditions Milan soutiennent l'action
d'Amnesty International.

Une chaussette dans la tête
de Susan Vaught

traduit de l'anglais (États-Unis)
par Amélie Sarn

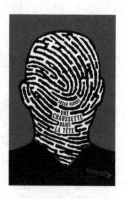

Jersey Hatch veut savoir. Savoir pourquoi son meilleur ami refuse de lui parler. Pourquoi sa famille se déchire. Pourquoi tout le monde lui cache la vérité. Mais surtout, pourquoi sa vie d'avant a volé en éclats.

Extrait :
Je prends le cahier blanc posé à côté de moi. Celui avec « Hatch Jersey » écrit en lettres rouges sur la tranche. Et puis je le pose sur mes genoux sans le fermer : il ne me sert à rien s'il est fermé. Il me faut un cahier de mémoire depuis que j'ai eu une balle dans la tête.
Si j'ai bien eu une balle dans la tête.

Risque zéro
de Pete Hautman

traduit de l'anglais
par Marie Cambolieu

Imaginez un monde où tout risque est banni, un monde
où le danger n'existe plus, où tout ce qui peut nuire est
un délit. Fini le sport, trop dangereux! Interdites les
passions, trop violentes! Ce monde du risque zéro, c'est
celui des États-Sécurisés-d'Amérique, en 2074. C'est
aussi celui de Bo Marsten, 16 ans. Pour lui, ce monde est
un cauchemar. Et il a décidé de résister. Pour être libre.
Pour prendre le risque de vivre, tout simplement.

Extrait:
Grand-Père a ajouté:
– Je pense que ce pays a commencé à partir en brioche le
jour où on a décidé qu'on préférait la sûreté à la liberté.
À cet instant, l'alerte sonore indiquant l'arrivée d'un
message a retenti sur le WindO de la cuisine.
– Oh, mon Dieu, a dit ma mère en regardant l'écran.
Nous sommes convoqués au ministère fédéral de la Santé,
de la Sûreté et de la Sécurité intérieures. Au bureau local.
Demain.

Le complexe
de l'ornithorynque
de Jo Hoestlandt

Philémon intrigue beaucoup sa voisine Carla qui est l'amie de Rose qui rêve d'Aurélien qui croit aimer les garçons. Chacun se frôle, se dévoile, se ment. Chacun se cherche, se cogne, se blesse. Heureusement, les ornithorynques ont la peau dure.

Extrait :

À chaque fois que je suis tentée par le divin, je bute sur les ornithorynques. Qui ont vraiment une tronche de puzzle raté. Parfois, je me sens indulgente et j'explique le cas de l'ornithorynque par un coup de fatigue du Créateur. D'autres fois, il me crève les yeux que tout est affaire de hasard, et que l'ornithorynque en paie le lourd tribut. Mais souvent, je suis tentée de penser : l'ornithorynque... et moi ! Parce que je ne suis pas loin de me sentir aussi bizarre que lui, même si ça ne se voit pas de façon totalement évidente.

Comment j'ai tué mon père... sans le faire exprès
de Kevin Brooks

traduit de l'anglais
par Laurence Kiéfé

Un cadavre. Un héritage. Une petite amie un peu trop sympa. Un flic fouineur. De quoi faire un parfait roman policier. Sauf que là, c'est pas de la littérature, mais la vraie vie de Martyn, 17 ans. Et depuis que son père s'est fracassé la tête contre la cheminée, cette vie tournerait plutôt au cauchemar.

Extrait :

J'ai sauté de côté et son poing m'a loupé d'un cheveu. Emporté par son élan, il m'a dépassé et je l'ai poussé dans le dos. Poussé, tout simplement. Un geste instinctif de défense. Rien de plus. Je l'ai à peine touché. Ensuite, il a valdingué dans la pièce et s'est cogné la tête contre la cheminée, puis il est tombé et n'a plus bougé. J'entends encore ce bruit. Le bruit de l'os qui s'est brisé sur la pierre. Je savais qu'il était mort. Je l'ai su tout de suite.

V-Virus
de Scott Westerfeld

traduit de l'anglais (État-Unis)
par Guillaume Fournier

Avant de rencontrer Morgane, Cal était un étudiant new-yorkais tout à fait ordinaire. Il aimait la fête et les bars, la vie insouciante du campus. Il aura suffi d'une seule nuit d'amour, la première, pour que sa vie bascule. Désormais, Cal est porteur sain d'une étrange maladie. Ceux qui en sont atteints ne supportent plus la lumière du jour, fuient ceux qu'ils ont aimés et ont une fâcheuse tendance à se repaître de sang humain.
Des vampires d'un genre nouveau...

Extrait :
Morgane vida son verre, je vidai le mien ; nous en vidâmes quelques autres. Ensuite, mes souvenirs deviennent de plus en plus flous. Je me rappelle seulement qu'elle avait un chat, une télé à écran plat et des draps de satin noir. Par la suite, tout ce qu'il me restait de ma soirée, c'était une assurance nouvelle auprès des femmes, des super-pouvoirs qui commençaient à se manifester, ainsi qu'un penchant pour la viande saignante.

A-Apocalypse
Bande-son
pour fin du monde
de Scott Westerfeld

traduit de l'anglais (État-Unis)
par Guillaume Fournier

Chaleur étouffante. Hordes de rats. Hystérie collective. Menacé par la Mort noire, New York sombre peu à peu dans le chaos... Mais, au cœur des ténèbres, s'élève une musique d'un genre nouveau, hypnotique et inquiétante. La musique d'un groupe d'ados fans de rock, seuls capables de sauver le monde du désastre.

S'il en est encore temps.

Extrait :

Mes doigts hésitèrent subitement. Il s'agissait de faire bonne impression dès les premières notes avec cette guitare « tombée du ciel ». Pearl prétendait que c'était le « destin » qui nous l'avait envoyée, mais je n'y croyais pas. Ce n'était pas le destin qui avait poussé cette pauvre femme à jeter sa guitare par la fenêtre. Les gens avaient les nerfs à fleur de peau depuis le début de l'été, avec cette vague de crimes, cette vague de rats et cette vague de chaleur à vous rendre cinglé. Cette guitare n'avait rien à voir avec le destin.

Achevé d'imprimer en Italie par Canale
Dépôt légal : 2ᵉ trimestre 2009